Pazit Barki e Pierangela Diadori

D1296315

PRO E CONTRO

conversare e argomentare in italiano

livello intermedio

guida per l'insegnante

«Pro e Contro», il cui impianto generale è opera di Pierangela Diadori, è stato progettato congiuntamente dalle due autrici nelle sue singole parti. Specificatamente, Pazit Barki ha realizzato le sezioni tematiche; Pierangela Diadori ha scritto l'introduzione e la «Guida per l'insegnante».

Il contenuto delle argomentazioni dei pro e contro non riflette necessariamente il pensiero delle autrici.

Si ringraziano i quotidiani, le riviste e i fotografi che hanno concesso l'autorizzazione a riprodurre gli articoli e le foto qui presentati.

L'Editore è a disposizione degli aventi diritto con i quali non gli è stato possibile comunicare nonché per eventuali involontarie omissioni o inesattezze nella citazione delle fonti dei brani riprodotti nel presente volume.

Bonacci editore

Via Paolo Mercuri, 8 - 00193 Roma
(ITALIA)
tel. 06/68.30.00.04 - fax 06/68.80.63.82
e-mail: bonacci @ flashnet.it

© Bonacci editore, Roma 1997
ISBN 88-7573-333-3

Dalla comprensione dei testi argomentativi allo sviluppo della capacità di valersi dei pro e dei contro.

1. Tipologie testuali e didattica delle lingue straniere

Da sempre gran parte del lavoro nella classe di lingua si svolge sulla base di testi: in passato si intendeva per "testo" il breve brano (di solito costruito *ad hoc*) che introduceva il tema della lezione o l'argomento di grammatica; oggi invece si definisce così qualsiasi enunciato linguistico, scritto o orale, che vada al di là della frase. "Testo" è quindi la conversazione telefonica fra due persone, la spiegazione dell'insegnante in classe, il messaggio di auguri, il brano letterario o l'articolo di giornale. E il docente di lingua sa bene quale importanza riveste la scelta del "testo" più adeguato su cui costruire la propria unità didattica: il tema trattato, la sua funzione comunicativa, il canale attraverso il quale raggiunge i destinatari (orale, scritto, audiovisivo), la sua lunghezza, la sua autenticità, la sua difficoltà in relazione al livello di competenza linguistica e culturale della classe, le componenti nonverbali che lo accompagnano (illustrazioni e grafici in un testo scritto, ma anche intonazione, ritmo, musiche in un testo sonoro, a cui si aggiungono le immagini se si tratta di un documento audiovisivo).

Nell'insegnamento delle lingue ai fini della comunicazione non interessano tanto le categorie linguistiche prese isolatamente, quanto piuttosto le unità testuali, che possono essere formate da una o più frasi, ma che si caratterizzano sul piano pragmatico dal fatto di essere legate ad una situazione particolare di interazione linguistica. Fondamentale nell'insegnamento linguistico è dunque il testo, cioè una sequenza linguistica di senso compiuto ed autonoma, classificabile in base al mezzo (scritto, orale, trasmesso), all'argomento (testi specialistici, divulgativi), alla funzione comunicativa.

Un testo può avere come funzione primaria quella di *descrivere* oggetti, persone o fenomeni, con riferimenti a qualità, posizioni nello spazio, colori, numeri, luoghi; quella di *narrare* azioni e avvenimenti disposti in un certo ordine sequenziale, facendo riferimento allo scopo, al tempo, al luogo, all'agente e all'oggetto dell'azione; quella di *dare istruzioni* per influire sul comportamento del destinatario; quella di *esporre* concetti più o meno complessi attraverso spiegazioni soggettive o oggettive; quella di *argomentare*, presentando un'opinione e difendendola anche contro le diverse opinioni altrui. Saper riconoscere la funzione comunicativa di un testo è fondamentale per capirne a fondo il significato. Per un insegnante, poi, si pone il problema non solo di far comprendere ai propri studenti tale scopo comunicativo, ma di far loro riconoscere i tratti linguistici che lo mettono in luce, in modo da sviluppare successivamente anche la capacità di produrre testi adeguati alle proprie intenzioni comunicative.

Ci concentreremo qui sulla funzione argomentativa e sui testi che la riflettono, per individuare un percorso didattico che passi dalla comprensione allo sviluppo della capacità di valersi dei pro e dei contro, riferendoci al caso particolare dell'apprendimento dell'italiano da parte di stranieri.

2. Insegnare ad argomentare in lingua straniera

In un testo argomentativo si parte di solito dall'esistenza di un problema o di un tema controverso e si presentano osservazioni, ipotesi, dubbi, possibilità a proposito di una soluzione o interpretazione del problema, spesso mettendo a confronto fatti, concetti o argomentazioni opposte. Attraverso il processo cognitivo del giudicare si espone una tesi principale, mettendola in relazione a delle prove e traendo poi da questa delle conclusioni.

Data la struttura piuttosto complessa del discorso argomentativo (soprattutto a livello di ragionamento profondo, oltre che di superficie), è innegabile che per comprenderlo e produrlo siano necessarie, sia nella madrelingua che a maggior ragione nella lingua straniera, delle buone conoscenze linguistiche (connettivi, regole di subordinazione, *consecutio temporum*, ecc.).

D'altra parte, un'argomentazione può servirsi anche di descrizioni e narrazioni come premessa o come argomento a sostegno di una tesi, quindi la capacità di argomentare può svilupparsi solo dopo che si è raggiunta la padronanza delle altre tipologie testuali di base.

A tutto questo si aggiunge la necessità, per le persone coinvolte nella comunicazione argomentativa che non appartengano alla stessa cultura, di condividere le regole generali su cui poggia il rapporto tra opinione e argomento, di sapere quali universi ideologici, quali leggi accetta e condivide il proprio interlocutore: sono queste le premesse indispensabili per comprendere e farsi comprendere, a maggior ragione quando entra in gioco la rete di inferenze, l'interpretazione degli impliciti, il riferimento ai codici di comportamento non chiaramente espressi nel discorso.

Le implicazioni che ne derivano per la didattica dell'argomentazione a stranieri sono numerose: non solo un addestramento di tipo linguistico sulla stuttura di superficie del testo, che può tradursi in profili testuali semplici (o "orizzontali"), che preferiscono l'uso delle frasi coordinate e mettono tutte le informazioni in primo piano, e profili testuali complessi (o "verticali"), che ricorrono a una struttura del discorso ricca di subordinate e distinguono diversi piani di importanza delle informazioni; non solo uno studio delle diverse tipologie di testi, oltre a quelli argomentativi, ma anche un'analisi della struttura testuale profonda, cioè dell'essenza informativa, che si riporta necessariamente alle regole socioculturali di un dato mondo (in questo caso quello dell'Italia degli anni Novanta), non necessariamente condiviso da un apprendente straniero.

3. La struttura dell'argomentazione

Secondo Lo Cascio (1992b), un'argomentazione (ARG) è un ragionamento che consiste in una tesi, o opinione (O) e almeno un argomento (A) a sostegno di questa opinione. Dire "Mi piace l'Italia" è un'affermazione. Dire "Mi piace l'Italia *perché* è ricca di opere d'arte" è già un'argomentazione, perché la tesi (vera o falsa che sia) si fonda su un ragionamento.

Opinione e argomento possono anche non essere presentati in questo ordine, così come può variare il connettivo usato: "L'Italia è ricca di opere d'arte (A), *perciò* mi piace (O)" equivale nel significato alla frase precedente, a parte una maggiore enfasi sull'argomento (A) che si trova qui in posizione iniziale.

La posizione di (O) e (A) può dipendere dal rapporto di un enunciato con il discorso che lo precede. Per esempio in risposta alla domanda "Ti piace l'Italia?" è possibile che si preferisca anteporre (O) ("Sì, mi piace perché è ricca di opere d'arte"), mentre se l'interlocutore è in partenza contrario alla propria tesi o se si dispone di un argomento forte, si può preferire l'ordine (A) + (O):

"A me l'Italia non piace" "Ma che dici? L'Italia è ricca di opere d'arte..."
"L'Italia è ricca di opere d'arte. *Proprio per questo* mi piace."

Si possono avere argomentazioni semplici, multiple e a grappolo, secondo il numero degli argomenti e la complessità dei rapporti fra aspetti primari e secondari (Lo Cascio, 1992b: 46 sgg.).

Un'argomentazione semplice (orizzontale) consiste in una opinione corredata da un argomento:

(ARG)

I soldi non fanno la felicità (O)	Alterano le priorità della vita. (A)

"Credo che i soldi non facciano la felicità, *dato che* alterano le priorità della vita".
"I soldi non fanno la felicità *perché* alterano le priorità della vita".
"I soldi alterano le priorità della vita, *quindi* non fanno la felicità".

Un'argomentazione multipla (orizzontale) consiste in un'opinione corredata da più argomenti coordinati tra di loro:

(ARG)

Le medicine alternative sono migliori di quelle tradizionali (O)	Non intossicano il corpo con sostanze chimiche (A1)	Curano con successo problemi che spesso i farmaci non riescono a risolvere (A2)

"Secondo me le medicine alternative sono migliori di quelle tradizionali, *dal momento che* non intossicano il corpo con sostanze chimiche, *e anzi* curano con successo problemi che spesso i farmaci non riescono a risolvere".

"Le medicine alternative sono migliori di quelle tradizionali: non intossicano il corpo con sostanze chimiche e curano con successo problemi che spesso i farmaci non riescono a risolvere".

"Le medicine alternative non intossicano il corpo con sostanze chimiche e curano con successo problemi che spesso i farmaci non riescono a risolvere. *Per queste ragioni* penso che siano migliori di quelle tradizionali".

Un'argomentazione a grappolo (verticale) consiste in un'opinione corredata da argomenti che a loro volta sono difesi da sottoargomenti (SA):

(ARG)

È crudele usare le pellicce (O)	Negli allevamenti gli animali perdono le loro abitudini (A) Il loro comportamento degenera. (SA)

"È crudele usare le pellicce *visto che* negli allevamenti gli animali perdono le loro abitudini. *Infatti* il loro comportamento degenera."

"Negli allevamenti gli animali perdono le loro abitudini, *poiché* il loro comportamento degenera. *Quindi* è crudele usare le pellicce fatte con la pelle di questi animali"

3.1. La semplificazione linguistica nel discorso argomentativo

Il discorso argomentativo, data la necessità di svolgere dei ragionamenti che possono essere anche piuttosto complessi, può realizzarsi in strutture di superficie altrettanto complesse. Questo, tuttavia, non è indispensabile, visto che esistono casi in cui strutture relativamente semplici (orizzontali) permettono ugualmente di esprimere un discorso argomentativo. Questo ricorso a strategie di semplificazione linguistica può dipendere da vari fattori:

a. *Fattori diafasici*, legati al contesto comunicativo: un'argomentazione in un processo, sarà più complessa rispetto al ragionamento che lo stesso avvocato potrebbe utilizzare per riferire ai familiari sullo stesso tema dibattuto in aula; anche il genere testuale influisce sul grado di complessità che sarà per esempio maggiore nella relazione da presentare a un convegno rispetto alla lezione da tenere in classe, nel tema rispetto alla lettera, nel dibattito in pubblico rispetto alla discussione in privato, così come influisce l'ambito settoriale in cui si inserisce l'argomentazione: si pensi al discorso tecnico scientifico (a carattere elencativo) e il discorso matematico (a carattere dimostrativo) rispetto a quello giuridico, caratterizzato da una maggiore complessità sintattica dell'argomentazione.

b. *Fattori diastratici*, legati alle caratteristiche degli utenti: il livello culturale, l'esperienza in campo argomentativo, la conoscenza della microlingua e della materia di discussione, le stesse capacità intellettive e le competenze comunicative della persona sono determinanti nell'utilizzo di strutture di ragionamento più o meno complesse. Un più basso grado di complessità si troverà quindi nelle argomentazioni elaborate da chi ha un livello di cultura medio-basso (la lingua dei "semicolti") e in quelle di chi si serve di un sistema linguistico in evoluzione (le interlingue dei bambini e quelle degli stranieri, almeno nelle prime fasi dell'apprendimento/acquisizione linguistica).

c. *Fattori diamesici*: il canale (scritto, orale, trasmesso) attraverso il quale avviene l'argomentazione può influire sul suo grado di complessità, a causa della maggiore o minore gittata di pianificazione possibile, con un minimo di complessità nei casi in cui la pianificazione è quasi contemporanea alla codificazione del messaggio (conversazione faccia a faccia o al telefono, scrittura di messaggi in *Internet*).

d. *Fattori diatopici*, legati alla provenienza geografica degli utenti: esistono stili argomentativi diversi, caratterizzati anche da una maggiore o minore complessità strutturale, secondo i diversi mondi socioculturali. Per esempio, come rileva Lo Cascio (1992b: 55) "argomentare in italiano servendosi di profili molto articolati e di strutture molto complesse, a piramide, può sembrare meno faticoso e complesso, ed anche più corretto, che fare la stessa cosa in situazioni comunicative simili, per esempio in olandese, inglese o francese". È innegabile, comunque che il discorso argomentativo in italiano sia oggi molto influenzato dallo stile paratattico e elencativo di stampo anglosassone. Sarebbe interessante studiare se esistano differenze analoghe (relative ad una maggiore o minore complessità argomentativa) anche in relazione alle varietà geografiche dell'italiano.

e. *Fattori diacronici*, legati al parametro di variazione "tempo" e ai mutamenti che l'arte della retorica ha subito nei secoli: in tempi recenti, in ambito italiano è in atto una evoluzione delle modalità argomentative verso una strutturazione meno complessa del discorso (subordinazione più limitata, alberi testuali meno ramificati) secondo un processo di avvicinamento dello scritto al parlato particolarmente accelerato dall'avvento dei grandi mezzi di comunicazione di massa e già osservato in molti altri settori: basti confrontare i dibattiti televisivi dall'inizio della televisione a oggi, la saggistica contemporanea con quella del secolo scorso, e via dicendo.

3.2. I connettivi e i legamenti semantici

Tradizionalmente, a determinate categorie argomentative vengono associati certi connettivi che introducono, per esempio:

- la conseguenza: *perciò, per cui, per questo, dunque, quindi, pertanto*;
- la riserva: *a meno che, purché*;
- l'opinione alternativa: *però, ma, d'altra parte, tuttavia, peraltro*;
- il controargomento: *nonostante, sebbene, benché, anche se*;
- il rinforzo: *anzi*.

Per affrontare il discorso argomentativo è necessario dunque conoscere le regole che sottostanno all'uso dei connettivi usati per mettere in relazione i vari tipi di informazioni principali e secondarie (cfr. Lo Cascio, 1991), sia che siano usati isolatamente (*perché, poiché, infatti*, ecc.), per iniziare una catena argomentativa (*poiché, tuttavia, quindi, perciò*, ecc.) o in combinazione con altri (connettivi compatibili o incompatibili). Sugli elementi di collegamento nella prosa giornalistica si veda Dardano, 1981: 346-359.

Non bisogna dimenticare che il generale slittamento di molte forme dell'italiano standard verso ambiti di registro più formale o aulico, dietro la spinta di tratti sub-standard che entrano a far parte del cosiddetto "italiano neostandard", coinvolge anche i connettivi argomentativi, molti dei quali sono ormai relegati al registro aulico o ai testi burocratici, e sono sostituiti da altri di registro medio o perfino tipici del parlato colloquiale, con le stesse funzioni. Qualche esempio:

REGISTRO AULICO	REGISTRO MEDIO	COLLOQUIALISMI
pertanto	*perciò, per cui, per questo*	*insomma*
tuttavia, peraltro	*però, ma, d'altra parte*	*certo*
nonostante, benché, sebbene	*anche se*	
poiché	*visto che, dato che*	*siccome*

Un altro fenomeno del discorso argomentativo nell'italiano contemporaneo riguarda la diminuzione dei connettivi che indicano i rapporti gerarchici fra argomenti primari e secondari (detti anche "indicatori di forza") e la loro sostituzione con altri legamenti di tipo piuttosto semantico. Come osserva Lo Cascio (1992a: 414): "in genere, soprattutto nella lingua parlata, gli indicatori di forza illocutiva non vengono lessicalizzati perché la comunicazione orale si serve preferibilmente di altre forme: intonative, semantiche, contestuali e cotestuali, per indicare la funzione argomentativa degli enunciati e preferisce profili lineari (paratattici) anziché profili dalla natura verticale e complessa (ipotattici)". Sempre più spesso anche la lingua scritta adotta le stesse strategie del parlato argomentativo: poche subordinate, alleggerimento sintattico, ragionamento presentato in maniera più schematica, riduzione dei connettivi.

I nodi dell'argomentazione e l'indicazione di rapporti fra informazioni principali e secondarie, quindi, tendono a non corrispondere più ad un preciso luogo verbale (come possono essere i connettivi argomentativi) ma vengono sostituiti da:

a. *Segnali discorsivi tipici dello scritto* (i due punti, il punto, la virgola):

> Credo che anziché utilizzare il termine 'guarigioni miracolose' bisognerebbe parlare di 'diagnosi errate': molti dei tumori che scompaiono in realtà non erano tumori (da "Donna Oggi", 10.8.1995).

> In breve: trasformare il femminismo in un programma politico e renderlo un'alternativa ideologica all'amore. Risultato: le donne hanno scoperto finalmente l'uomo ideale. Se stesse. Sia chiaro: io non predico il ritorno ai fornelli, ma che ognuno si inventi la propria vita. (da "Gioia", 30.9.1995).

b. *Segnali discorsivi tipici del parlato* (intonazione, pause, segnali di ripresa):

> Giornalista: Ecco, voi ci credete al sorpasso? Giorgio La Malfa mi è parso in qualche opinione un po' critico, un po' dubbio su questa realtà...
> La Malfa: Mah, io, sai... sono preoccupato dall'uso, diciamo, pubblicitario che viene fatto di questo. *Cioè*, l'immagine che si dà è: l'Italia ha sorpassato l'Inghilterra, tutto è risolto, il problema è semplice...
> Giornalista: Questo è pericoloso, tu dici...
> La Malfa: Ma, questo non è vero... *perché*, per molti aspetti il problema di questo paese... *Intanto* bisogna andare a guardare... *Certo*, se uno va in certe province del nord trova livelli di ricchezza, di benessere paragonabili a quelli dell'Europa centro-settentrionale, *ma* se uno va nel Mezzogiorno...
> (dalla trasmissione televisiva "Punto Sette", Canale 5, 22.2.1987)

c. *Enumerazioni*, per introdurre argomenti tutti di pari grado o in ordine decrescente di importanza, come nel caso del seguente articolo pubblicato su una rivista femminile:

> Il trono di panna. 1. Alle donne non interessa il potere nel mondo del lavoro (...). 2. Alle donne non interessa il potere di decidere da sole se mettere oppure no al mondo un figlio (...). 3. Alle donne non interessa il potere di essere considerate il sesso forte (...). 4. Alle donne non interessa il potere di governare a tutti i costi (...). *Insomma*, le donne pretendono di esprimersi liberamente (...) (da "Moda", marzo 1994)

d. *Elenchi con indicazione di priorità e contrapposizione*, mediante l'uso di focalizzatori elencativi (*anzitutto, in primo luogo, soprattutto,...*) e evidenziatori contrapposti (*anzi, mentre, bensì,...*)

> *Partirei dal presupposto che* l'età è una nozione non scientifica: va riscontrata di volta in volta nella persona. *Detto questo, e tenendo presente che* non mi sento una tuttologa, credo che la natura vada capita e non violentata: non assumerei mai pillole per allungare la vita. (da "Panorama", 5.10.1995)

> Per la Svizzera si tratta di una vera e propria rivoluzione. Nella quale giocherà e gioca un ruolo determi-

nante il malcontento che, ultimamente, va dilagando non solo tra la popolazione, ma anche tra i partiti. *Da una parte infatti* sono molti i leader politici che si lamentano del continuo vanificarsi del lavoro portato avanti dal governo federale che, sempre più spesso, deve fare i conti con la mannaia del referendum (...). *Vi è poi l'altra faccia della stessa medaglia.* L'inflazione di voti alla quale sono sottoposti gli svizzeri induce, paradossalmente, una stagnazione legislativa che va diffondendo, proprio fra gli stessi cittadini, una generale insoddisfazione. (da "L'Espresso", 30.6.1995)

e. *Frasi composte da una sola proposizione o da proposizioni coordinate*, che danno al discorso una struttura lineare e paratattica:

> Onorevole, come mai si schiera dalla parte dei fumatori?
> "Non sono un fumatore, *però* voglio dire basta a questa persecuzione. Ho la tolleranza che si deve avere verso i tossicodipendenti di grado lieve. Il fumo è la scansione e la grammatica delle loro mutevoli emozioni, la punteggiatura dei loro umori. Quando non ci sono sigarette va in crisi un rito della propria vita. *Insomma,* c'è di peggio". (da "Famiglia Cristiana", 12.4.1995)

> Parlano di assemblee cittadine elettroniche e di comunità virtuali. Il commercio e gli affari si sposteranno negli uffici e dagli ipermercati ai network e ai modem. *E* la libertà delle reti digitali renderà più democratico il sistema politico. Fesserie. *Ma* questi guru del computer non sanno proprio cosa sia il buon senso? *La verità è che* nessuna banca dati online potrà sostituire il vostro giornale quotidiano. (da "Multimedia" n. 21, 1995)

f. *Proposizioni relative* con funzione causale:

> Ho scritto su questo giornale che reputo nocivo alla democrazia di questo paese, se non esiziale, l'uso dissennato e demagogico dei referendum, *dal quale* viene delegittimato l'organo fondamentale della democrazia: il Parlamento. (da "L'Espresso", 15.6.1995)

g. *Interrogative retoriche* che riassumono opinioni e argomenti:

> Magri è meglio? Macché. I grassi vincono (da "Donna Oggi", 10.8.1995)

> Domanda: *perché* scegliere di pronunciare il primo "sì" a quarant'anni, abbandonando quella condizione di single che pareva ormai definitiva? *Perché* ufficializzare una convivenza che reggerebbe comunque, anche senza un contratto matrimoniale? *Perché* sacrificare l'autonomia totale a cui si era profondamente affezionati per condividere lo spazio vitale con l'altro? Risposta: per amore; per assicurarsi una stabilità affettiva; per formare una famiglia. E perché il matrimonio, nonostante tutti i cambiamenti di costume e di valori intervenuti negli ultimi decenni, resta pur sempre un rito simbolico cui è difficile rinunciare. (da "Grazia", 29.9.1995)

Una conseguenza (o una causa) di questa perdita dei connettivi è che i ragionamenti vengono spesso presentati in maniera non esplicita, sotto forma di testi narrativi o descrittivi: il discorso ne risulta alleggerito e in certi casi restano nascoste le sue reali intenzioni persuasive o quanto meno l'opinione dell'autore del testo:

> Antonio Marazzi, antropologo specializzato in comunicazione visuale, evita di demonizzare l'influenza della televisione sui bambini. Anzi dice: "La tv è un gigantesco grimaldello culturale. Prima che si diffondesse, ciascuna cultura era chiusa nella propria lingua, separata dalle altre. Bisognava passare attraverso il filtro di un traduttore. Oggi tutto è cambiato: la tv, con le sue immagini universali, ha fatto saltare l'intero sistema di controllo del sapere, e dunque di potere sociale". (da "Panorama", 7.7.1995)

Questa semplificazione del discorso argomentativo in atto nell'italiano contemporaneo si riflette in "una struttura che va di pari passo con l'economia dell'informazione, la chiarezza del ragionamento, la internazionalizzazione della retorica, verso un esempio e modello di stampo anglosassone, parca di connettivi, a carattere particolarmente elencativo: da istruzioni per l'uso, tanto per intendersi" (Lo Cascio. 1992a: 421).

4. Dall'analisi alla produzione di un testo argomentativo

Nella didattica dell'argomentazione a studenti stranieri, o a studenti adolescenti che debbano sviluppare questa particolare funzione comunicativa nella propria madrelingua, ci sembra consigliabile partire dall'analisi di testi scritti (e possibilmente anche orali) di tipo argomentativo, per poi fissare su carta le proprie idee sotto forma di scaletta di argomenti, e successivamente procedere ad esprimere questi concetti oralmente, prima di passare all'ultima fase, che sarà costituita dalla produzione scritta di testi argomentativi (cfr. Lavinio, 1991; Della Casa, 1994: 472 sgg.).

4.1. L'analisi di un testo argomentativo

Come rilevano Dardano/Trifone (1995: 547), un testo argomentativo può essere composto da:

- una presentazione del problema;
- una tesi da dimostrare;
- gli argomenti a favore della tesi;
- un'antitesi da confutare;
- gli argomenti a sfavore dell'antitesi;
- una conclusione.

In un testo scritto è importante saper individuare i diversi "paragrafi argomentativi", ciascuno dei quali, come osserva Zioni (1989: 30), è caratterizzato da:

- un'unica unità di ragionamento espressa con una introduzione, uno svolgimento e una conclusione;
- un'unica idea centrale che tratta un solo aspetto dell'argomento;
- dati e informazioni che convergono ad avvalorare un'unica tesi.

Un ragionamento di questo genere può essere espresso attraverso modalità argomentative diverse, spesso commiste fra loro. Della Casa (1994: 451) ne elenca i tipi fondamentali:

- affermativa: si propone una tesi e si sostiene con degli argomenti;
- confutativa: si esamina la tesi di altri e se ne dimostra l'infondatezza;
- confutativo-affermativa: si confuta una tesi avversa e si enuncia la propria;
- dialettica: si presentano i pro e i contro di uno stesso problema;
- di sostegno: si sostiene una tesi enunciata da altri con nuovi argomenti.

Dopo avere individuato un testo che presenti delle opinioni favorevoli o contrarie ad una tesi centrale, l'insegnante potrà isolarne un paragrafo (nell'accezione di Zioni riportata sopra), procedendo poi all'esame approfondito delle modalità argomentative.

Riportiamo qui alcuni esempi di articoli e i relativi di schemi di analisi, anche come modello di attività didattica da svolgere con gli studenti.

Nell'argomentazione affermativa il percorso è lineare, come vediamo nell'esempio 1, in cui la presentazione del problema ("Magri è meglio?) viene immediatamente seguita dalla tesi ("Macché. I grassi vincono"), poi ripresa nel corpo dell'articolo ("Il grasso non è più un tabù") e alternata a dati e esempi che la avvalorano:

Esempio n. 1 (*da "Donna Oggi", 10.8.1995*)

INTRODUZIONE.	**Problema:** Magri è meglio? **Tesi:** Macché. I grassi vincono.	
SVOLGIMENTO	**Dati** Giuliano Ferrara esibisce tranquillo i suoi 175 chili. Bud Spencer e Luciano Pavarotti portano con disinvoltura i loro 150. E intanto gli stilisti si specializzano in taglie forti, si aprono locali per soli obesi (come il "Café 44" a New York) e si organizzano concorsi di bellezza riservati ai più rotondi. **Tesi** Il grasso non è più un tabù.	**Dati Usa a favore della tesi** *Anzi*, in America i "ciccioni" sono *addirittura* una lobby capace di influenzare la Casa Bianca e di trascinare in tribunale chiunque attenti alla loro dignità. **Esempi USA** *Come* quelle compagnie di assicurazione che li rifiutano come clienti, considerandoli soggetti a rischio, o *come* quella catena di cinema che vietava l'ingresso agli spettatori ingombranti, le cause giudiziarie si sono concluse naturalmente con la vittoria dei grassi.
CONCLUSIONE		**Dati italiani a favore della tesi** E in Italia? Li si applaude. **Esempio Italia** Anche quest'anno a Forcoli (Pisa) si è tenuto il concorso "Miss Cicciona". Ad aggiudicarsi la corona è stata per la seconda volta consecutiva Angela Masini, che è salita sul podio con i suoi 164 chili.

Magri è meglio? Macché. I grassi vincono

Giuliano Ferrara esibisce tranquillo i suoi 175 chili. Bud Spencer (in basso, nella foto) e Luciano Pavarotti portano con disinvoltura i loro 150. E intanto gli stilisti si specializzano in taglie forti, si aprono locali per soli obesi (come il «Café 44» di New York) e si organizzano concorsi di bellezza riservati ai più rotondi. Il grasso non è più un tabù. Anzi, in America i «ciccioni» sono addirittura una lobby capace di influenzare la Casa Bianca e di trascinare in tribunale chiunque attenti alla loro dignità. Come quelle compagnie di assicurazione che li rifiutano come clienti, considerandoli soggetti a rischio, o come quella catena di cinema che vietava l'ingresso agli spettatori ingombranti. Le cause giudiziarie si sono concluse naturalmente con la vittoria dei grassi. E in Italia? Li si applaude. Anche quest'anno a Forcoli (Pisa) si è tenuto il concorso «Miss Cicciona». Ad aggiudicarsi la corona è stata per la seconda volta consecutiva Angela Masini, che è salita sul podio con i suoi 164 chili. C.N.

Donna Oggi, 10.8.1995

Così anche nell'esempio 2, dove l'autore dell'articolo introduce la propria tesi ("I referendum sono nocivi alla democrazia") e la sostiene immediatamente dopo portando ben tre argomenti ("tolgono legittimità al Parlamento, si prestano ad essere strumentalizzati dai potenti, affidano alla massa il compito di decidere su questioni complesse"):

Esempio n. 2 (*da "L'Espresso", 15.6.1995*)

<table>
<tr><td>INTRODUZIONE</td><td colspan="3">Titolo che riassume la tesi dell'autore
La campagna sul referendum è stata la fiera delle bugie.</td></tr>
<tr><td rowspan="2">SVOLGIMENTO</td><td colspan="3">Tesi
Ho scritto su questo giornale che reputo nocivo alla democrazia di questo paese, se non esiziale, l'uso dissennato e demagogico dei referendum,</td></tr>
<tr><td>Argomento 1
dal quale viene delegittimato l'organo fondamentale della democrazia: il Parlamento.</td><td>Argomento 2
Parlo dei referendum che si prestano alle persuasioni di chi detiene grandi poteri e intende andare ad assolutismi plebiscitari</td><td>Argomento 3
che affidano alla quantità dei cittadini, alle masse, il compito di scegliere e di decidere in questioni complesse che quasi sempre ignorano</td></tr>
</table>

L'ANTITALIANO

Giorgio Bocca

Ho scritto su questo giornale che reputo nocivo alla democrazia di questo paese, se non esistenziale, l'uso dissennato e demagogico dei referendum, dal quale viene delegittimato l'organo fondamentale della democrazia: il Parlamento. Parlo dei referendum che si prestano alle persuasioni di chi detiene grandi poteri e intende andare ad assolutismi plebiscitari, e che affidano alla quantità dei cittadini, alle masse, il compito di scegliere e di decidere in questioni complesse che quasi sempre ignorano.

La campagna sul referendum è stata la fiera delle bugie.

© L'Espresso 15.6.1995

Più spesso, però, l'argomentazione si presenta come "un ragionamento complesso costituito di vari nuclei reciprocamente connessi secondo una logica gerarchica" (Della Casa, 1994: 456). Lo vediamo nell'esempio 3, dove tutto il ragionamento è basato sulla confutazione dell'antitesi, peraltro implicita, a favore delle medicine alternative (come si può rilevare dal titolo stesso dell'articolo "Ma io non ci credo"):

Esempio n. 3 (*da "Donna Oggi", 10.8.1995*)

TITOLO	**Problema:** Le medicine alternative sono migliori di quella tradizionale?			
TITOLO DEL PARAGRAFO	**Antitesi (implicita)**	**Tesi dell'intervistato** "*Ma* io non ci credo"		
INTRODUZIONE	**Presentazione dell'intervistato** Ecco il parere del professor Silvio Garattini, direttore dell'Istituto di ricerche Farmacologiche "Mario Negri" di Milano.			
SVOLGIMENTO	**Antitesi** Credo che anziché utilizzare il termine "guarigioni miracolose"	**Tesi** bisognerebbe parlare di "diagnosi errate":		
		Dato 1 a favore della tesi molti dei tumori che scompaiono in realtà non erano tumori.	**Dato 2 a favore della antitesi** *Tuttavia* nella letteratura scientifica internazionale esistono casi di regressione spontanea che la medicina non riesce a spiegare.	**Opposizione al dato 2** *Ma* sono *comunque* convinto che in futuro si troverà la causa anche di questi fenomeni.
CONCLUSIONE	**Esortazione** *Proprio per questo* è importante indagare, **Argomento** *perché* da questi strani casi possono derivare importanti scoperte.			

«Ma io non ci credo»

Ecco il parere del professor Silvio Garattini, direttore dell'Istituto di ricerche farmacologiche «Mario Negri» di Milano

«Credo che anziché utilizzare il termine "guarigioni miracolose" bisognerebbe parlare di "diagnosi errate": molti dei tumori che scompaiono in realtà non erano tumori. Tuttavia nella letteratura scientifica internazionale esistono casi di regressione spontanea che la medicina non riesce a spiegare. Ma sono comunque convinto che in futuro si troverà la causa anche di questi fenomeni. Proprio per questo è importante indagare perché da questi strani casi possono derivare importanti scoperte».

Donna Oggi 10.8.1995

Analogamente, l'esempio 4 riporta alternate tesi e antitesi, con relativi argomenti, esempi e dati:

Esempio n. 4 (*da "L'Espresso", 24.3.1995*)

INTRODUZIONE	**Problema:** Come è cambiato il mondo dell'infanzia sotto l'influsso della televisione?	
SVOLGIMENTO	**(Tesi implicita)** **Argomento 1 a favore della tesi** La TV ha avuto il grande merito di portare la lingua italiana in tutti gli angoli del paese	**Argomento 2 a favore della tesi** *e* ha dato una quantità enorme di stimoli.
	(Antitesi implicita) **Argomento 1 a favore dell'antitesi** *Ma se* una volta il bambino formava la sua prima cultura nell'esperienza usando i cinque sensi,	**Argomento 2 a favore dell'antitesi** la TV lo ha costretto nei limiti di un ascolto che coinvolge solo due sensi.
		Esempio Nella TV, *per esempio*, non c'è il caldo, il freddo, gli odori. **Sottoargomento** Nell'isolamento dell'ascolto televisivo, passivo, la manualità e la socialità sono venute meno.
		Dato Nei disegni dei bambini che ho raccolto fra il 1945 e il 1980 ci sono animali, i contadini che lavorano, le feste. **Dato opposto** I bambini di oggi disegnano *invece* cannibali, mostri, rapinatori, guerre...

COME È CAMBIATO IL MONDO DELL'INFANZIA SOTTO L'INFLUSSO DELLA TELEVISIONE?

«La tv ha avuto il grande merito di portare la lingua italiana in tutti gli angoli del paese. E ha dato una quantità enorme di stimoli. Ma se una volta il bambino formava la sua prima cultura nell'esperienza usando i cinque sensi, la tv lo ha costretto nei limiti di un ascolto che coinvolge solo due sensi. Nella tv, per esempio, non c'è il caldo, il freddo, gli odori. Nell'isolamento dell'ascolto televisivo, passivo, la manualità e la socialità sono venute meno. Nei disegni di bambini che ho raccolto fra il 1945 e il 1980 ci sono gli animali, i contadini che lavorano, le feste. I bambini di oggi disegnano invece cannibali, mostri, rapinatori, guerre...»

Non sempre la posizione nel testo delle varie componenti argomentative corrisponde ad una loro progressione logica, anzi, spesso si trovano commistioni di modalità argomentative diverse. Nell'esempio 5, che lascia inizialmente nell'ombra la tesi dell'emittente ("Gli animali provano emozioni o sono solo dettati dall'istinto? È un mistero"), il ragionamento si snoda partendo dall'antitesi, via via confutandola, per poi arrivare a concludere illustrando la tesi opposta, che è poi quella dell'autore ("I sentimenti, quindi, non sarebbero una prerogativa umana"):

Esempio n. 5 (*da "Elle", ottobre 1995*)

<table>
<tr><td>INTRODUZIONE</td><td colspan="3">Problema (presentazione di tesi e antitesi)
Provano emozioni, gli animali, oppure i loro comportamenti sono dettati solo dall'istinto?
Risposta che lascia aperte le due possibilità
È un mistero.</td></tr>
<tr><td rowspan="2">SVOLGIMENTO</td><td rowspan="2">Antitesi di un naturalista
Un naturalista, senza alcun tentennamento, propenderebbe per la seconda ipotesi
Argomento a favore dell'antitesi
per paura di essere accusato di antropocentrismo.</td><td colspan="2">Tesi
Eppure a tutti noi è capitato di osservare animali e scorgere atteggiamenti così simili ai nostri che si potrebbero definire quasi umani.</td></tr>
<tr><td>Dato a favore dell'antitesi
Il cane che ci accoglie festoso sulla porta di casa lo fa certo perché da noi riceve cibo e protezione,</td><td>Argomento opposto
ma ci piace pensare che queste siano manifestazioni di affetto spontaneo, che gli manchiamo quando siamo lontani.</td></tr>
<tr><td>CONCLUSIONE</td><td colspan="3">Tesi dell'autore: I sentimenti, quindi, non sarebbero una prerogativa umana.</td></tr>
</table>

ANIMALI & SENTIMENTI

Provano emozioni, gli animali, oppure i loro comportamenti sono dettati solo dall'istinto? È un mistero. Un naturalista, senza alcun tentennamento, propenderebbe per la seconda ipotesi per paura di essere accusato di antropocentrismo. Eppure a tutti noi è capitato di osservare gli animali e scorgere atteggiamenti così simili ai nostri che si potrebbero definire quasi umani. Il cane che ci accoglie festoso sulla porta di casa lo fa certo perché da noi riceve cibo e protezione, ma ci piace pensare che queste siano manifestazioni di affetto spontaneo, che gli manchiamo quando siamo lontani. I sentimenti, quindi, non sarebbero una prerogativa umana.

Elle - Ottobre, 1996

Così anche nell'esempio 6, in cui la tesi espressa in maniera drastica dal titolo ("Internet da ricchi") e ripresa all'inizio dell'articolo ("Roba da ricchi"), cede poi il posto alla presentazione del problema ("la rete di computer Internet vive uno strano paradosso"), seguita dall'illustrazione delle opposte opinioni ("Internet strumento di democrazia / strumento per soli ricchi"), senza che gli argomenti portati giustifichino la tesi sposata a priori dall'articolista:

Esempio n. 6 (*da "L'Espresso", 3.12.1995*)

TITOLO	**Tesi:** Internet da ricchi.
INTRODUZIONE	**Tesi:** Roba da ricchi.
SVOLGIMENTO	**Problema** La rete di computer Internet vive uno strano paradosso: **Antitesi** potenzialmente mette a disposizione di tutti un mezzo di comunicazione aperto e a basso costo **Argomento a favore dell'antitesi** e *proprio per questo* molti vedono in essa uno strumento di democrazia. **Dato 1** la quale infatti prospera quando le informazioni circolano **Dato 2** e, ancor più, quando molti possono essere fonte di notizie e di opinioni.
CONCLUSIONE	**Controargomento (tesi implicita)** *Tuttavia* l'essere in rete richiede qualche milione di investimento, diverse centinaia di migliaia di lire in abbonamenti e scatti telefonici, e qualche base tecnica **Dato 1** Non stupisce *dunque* il fatto che tutti i sondaggi effettuati rivelino una popolazione in prevalenza maschile **Digressione** (*pur se* donne e minoranze risultano più presenti, *almeno* negli Stati Uniti) **Dato 2** di alto reddito e istruita, concentrata in buona misura nel nord del mondo.

Internet da ricchi

Roba da ricchi. La rete di computer Internet vive uno strano paradosso: potenzialmente mette a disposizione di tutti un mezzo di comunicazione aperto e a basso costo, e proprio per questo molti vedono in essa uno strumento della democrazia, la quale, infatti, prospera quando le informazioni circolano e, ancora di più, quando molti possono essere fonte di notizie e di opinioni. Tuttavia l'essere in rete richiede qualche milione di investimento, diverse centinaia di migliaia di lire in abbonamenti e scatti telefonici, e qualche base tecnica. Non stupisce dunque il fatto che tutti i sondaggi effettuati rivelino una popolazione in prevalenza maschile (pur se donne e minoranze risultano più presenti di prima, almeno negli Stati Uniti), di alto reddito e istruita, concentrata in buona misura nel nord del mondo.

L'Espresso 3.12.1995

4.2. La produzione di un testo argomentativo

Non ci occupiamo qui di argomentazione scientifica (o dimostrazione), che mira alla verità su un piano logico-concettuale o sperimentale. Per argomentazione, intendiamo l'argomentazione non scientifica, che ha lo scopo di convincere gli interlocutori della validità generale di una tesi. Questo tipo di argomentazione può essere:

a. persuasiva, se vuole influire sulla volontà di qualcuno;
b. cognitiva, se vuole far condividere conoscenze ritenute generali e quindi vere.

La prima ha un destinatario o un contesto preciso, fa riferimenti a casi specifici e può far leva sulla sfera emotiva delle persone coinvolte. La seconda invece si rivolge a un uditorio universale e gli presenta soluzioni per gli aspetti più problematici relativi a quella tesi.

Una discussione su un tema controverso, così come uno slogan pubblicitario o un articolo di giornale, fanno uso di argomentazioni sia cognitive che persuasive: insegnare a capire le tecniche di ragionamento usate a supporto di una tesi (compito che in passato svolgeva la retorica) è anche un modo per insegnare ad acquisire tali tecniche. Insegnare le modalità dell'argomentazione, dunque, come primo passo per insegnare a discutere e, successivamente, a produrre testi argomentativi scritti.

Per appropriarsi delle strategie argomentative, però, non basta individuarle e analizzarle in vari tipi di testo: dalla comprensione alla produzione possono esistere varie fasi intermedie che consistono nella manipolazione e il riadattamento di testi argomentativi in situazioni e forme sempre nuove.

Per progettare e produrre un testo argomentativo, si devono compiere alcune scelte relative al contenuto e alle strategie argomentative da mettere in atto (Zioni, 1989: 29):

a. definire l'obiettivo (la tesi che si vuole provare, ciò che si vuole ottenere);
b. riflettere sul destinatario (quali argomenti è in grado di comprendere, la sua mentalità, se è favorevole o contrario a priori);
c. valutare le condizioni in cui avviene l'argomentazione (circostanze, tempo/spazio a disposizione, luogo);
d. scegliere gli argomenti che meglio si adattano all'interlocutore e alla situazione;
e. individuare la forza degli argomenti e organizzarne la successione;
f. decidere il tono generale al quale uniformare il testo.

L'insegnante potrà quindi proporre di:

a. isolare e trascrivere la tesi centrale espressa dall'autore di un paragrafo argomentativo;
b. ricostruire un paragrafo argomentativo partendo da frasi isolate di una scaletta di argomenti a favore di una tesi;
c. trasformare un paragrafo argomentativo scritto in un breve monologo orale;
d. ricostruire da un testo argomentativo o da un dibattito registrato una scaletta di argomenti a favore o contro la tesi centrale.

4.3. L'universo di riferimento

Nel ragionamento volto a convincere della validità di una opinione (quello che abbiamo definito "argomentazione cognitiva"), ci si serve di argomenti e leggi soggettive: è fondamentale quindi che le scelte di forma e di contenuto siano adeguate alle regole situazionali e sociali a cui si fa riferimento. Qui la dimensione sociale e situazionale è la protagonista e condiziona le scelte di forma e contenuto: non basta saper decodificare o organizzare un testo argomentativo di questo genere a livello formale, bisogna anche correlarlo alla situazione comunicativa e in particolare a quella sociale ed etica in cui agiscono gli interlocutori. Per fare ciò, come osserva Lo Cascio (1992: 52) "oltre ad una conoscenza strutturale (il parlante) ha bisogno di servirsi di una cosiddetta grammatica culturale che gli permetta di confrontare la qualità del prodotto linguistico dinanzi a cui si trova con i codici culturali a cui tale messaggio risponde o deve rispondere". Chi partecipa ad una interazione di tipo argomentativo, infatti, anticipa sempre con la mente quello che l'interlocutore dirà, interpretando i messaggi in base al proprio mondo di riferimento[1].

La scelta degli argomenti a favore o contro una tesi, dunque, dipenderà dall'orientamento ideologico dell'interlocutore, dalla società a cui si fa riferimento, dal luogo dell'interazione e dai ruoli che rivestono reciprocamente gli interlocutori. Le regole di inferenza, inoltre, sono culturalmente specifiche ed hanno un ruolo cruciale nella comprensione (o non-comprensione), specialmente quando i partecipanti all'atto comunicativo sono di culture diverse. Certi argomenti, quindi, possono avere molta efficacia a sostegno di una tesi in una cultura e possono non averne affatto in un'altra: una argomentazione del tipo: "Nei luoghi pubblici va proibito il fumo perché c'è già abbastanza inquinamento" avrà molto effetto su un pubblico di americani o tedeschi, visto il grande interesse verso i problemi dell'ecologia che si registra oggi in Germania, e visto il rispetto per i diritti delle minoranze (e quindi dei non-fumatori) oggi molto sentito negli Stati Uniti. Lo stesso argomento farebbe meno breccia su un pubblico di persone che provengono da paesi meno sviluppati, dove meno interesse suscitano le questioni ecologiche e dove al contrario il fumo è uno dei segni di virilità e relativo benessere sociale.

Anche le modalità di partecipazione degli interlocutori che intervengono in una discussione su un tema controverso cambiano secondo la situazione comunicativa (dibattito in classe con finalità di esercizio, intervento a un convegno come relatori o come partecipanti alla discussione finale, messaggio inviato via *Internet* ad un *chat-group*, ecc.) ma anche secondo le convenzioni conversazionali che ogni cultura attribuisce a quel determinato *setting* (si pensi al diverso ruolo delle digressioni in una lezione accademica di una università inglese o italiana: cfr. Zorzi Calò, 1994).

4.4. Le regole della buona argomentazione

Sulle regole e le modalità dell'argomentazione sono intervenuti spesso gli studiosi: Corno (1989), fornisce alcune massime generali da tenere presenti in fase di insegnamento/apprendimento, Dardano/Trifone (1995) indicano le strategie argomentative a cui può far ricorso l'emittente, mentre Lo Cascio (1995) elenca i punti fondamentali della buona argomentazione orale.

[1] In questo caso Lo Cascio (1995) parla di "inferenze pertinenti", ovvero le uniche plausibili in un mondo M, in cui un dato enunciato E implica una data reazione R, dal momento che possono anche esistere altri mondi in cui tale implicazione non esiste o non è probabile.

Secondo questi studiosi, dunque, argomentare bene significa:

CORNO (1989)	DARDANO/TRIFONE (1995)	LO CASCIO (1995)
a. avere il senso della misura (né troppi né troppo pochi argomenti a favore della propria tesi), b. fare affermazioni con argomenti che le sostengano per rendere le proprie tesi credibili, c. essere "pertinenti", e cioè fornire argomenti utili alla discussione evitando le divagazioni, per rendere più forte e comprensibile il proprio punto di vista, d. essere chiari, ordinati e sensibili alla situazione in cui avviene la discussione per migliorare l'efficacia del proprio ragionamento.	a. usare argomenti logici, che mettono in evidenza i rapporti causali fra argomenti addotti e tesi da dimostrare, b. usare argomenti pragmatici, legati a vantaggi concreti che possono venire agli interlocutori dall'abbracciare la tesi dell'emittente, c. usare argomenti di autorità, riferiti al ruolo dell'emittente o a dati oggettivi esterni (prove, testimonianze, statistiche, ecc.), d. usare esempi concreti a sostegno della tesi da dimostrare.	a. costringere l'avversario a rendere esplicite le inferenze che intende trarre dai suoi argomenti, prima di attaccarlo, b. attaccare una argomentazione sugli aspetti espliciti anziché su quelli impliciti, c. lasciare all'altro il tempo di esprimersi, prima di fare delle inferenze che potrebbero rivelarsi false rispetto a quello che ha in mente l'interlocutore, d. rendere esplicito il proprio pensiero, in modo da favorire nell'interlocutore solo le inferenze pertinenti.

Tutto questo ci riporta alla mente gli insegnamenti dell'antica retorica, i cui principi fondamentali, seppur rivisti in un'ottica più moderna, sono tuttora estremamente validi per una didattica dell'argomentazione (cfr. Perelman, 1981; Zuccherini, 1988).

5. La discussione in classe

5.1. L'argomentazione orale

Nella conversazione argomentativa in italiano si registra un uso molto limitato di connettivi argomentativi ("poiché", "siccome", "tuttavia", "benché", ecc.), che del resto hanno anche un basso indice di frequenza nell'italiano parlato), e un alto uso di connettivi desemantizzati ("ma", "però"), secondo una tendenza tipica dell'italiano contemporaneo sia scritto che parlato (cfr. De Mauro, 1993; Lo Cascio, 1992a). Nel monologo e nel testo argomentativo scritto tutto è più esplicito, mentre la conversazione argomentativa si serve di una rete di argomenti impliciti, che devono essere inferiti dal luogo, dallo scopo della comunicazione e dal rapporto fra gli interlocutori.

Tenendo conto di questo fatto, la didattica dell'argomentazione orale non potrà concentrarsi solo sui nodi di superficie del ragionamento, ma considerare anche altri aspetti del discorso orale.

L'esposizione, specialmente nel caso della discussione plenaria, deve essere chiara, comprensibile e convincente: questa abilità, che si basa sulla capacità di sintesi e di strutturazione logica del discorso, può essere una dote naturale, ma può anche venire esercitata lavorando sull'elaborazione di scalette scritte, prima di arrivare alla presentazione orale in pubblico.

La lingua deve conformarsi ad un registro di media formalità, più controllato e corretto rispetto al parlato quotidiano e familiare; è necessaria "una precisa struttura del discorso, riconoscibile facilmente dall'ascoltatore; occorre perciò evidenziare e sottolineare certi punti, far ricorso alla ripetizione (che è invece sconsigliabile nello scritto), ricapitolare, sintetizzare, avvertire dei passaggi o delle digressioni" (Zuccherini, 1988: 184).

Le componenti paralinguistiche e extralinguistiche saranno adeguate alla situazione comunicativa in cui si svolge la discussione: il tono di voce e l'intonazione aiuteranno ad evidenziare i picchi informativi del discorso, senza eccessi dovuti ad una forte partecipazione emotiva o ad una controversia molto accesa. I gesti e le distanze fra gli interlocutori saranno adeguati ad una comunicazione interpersonale di media formalità, quale ci si può aspettare nell'Italia degli anni Novanta (si pensi ai numerosi *talk show* televisivi di argomento fra il colto e il salottiero, sul tipo del "Maurizio Costanzo Show").

5.2. La scelta del tema

La scelta del tema su cui far discutere in classe può essere dettata da varie motivazioni legate alle conoscenze del mondo e alle competenze linguistiche e socioculturali degli studenti.

I temi non lontani dall'esperienza diretta degli studenti garantiscono un più forte coinvolgimento emotivo e un più facile reperimento di esempi. La scelta di problematiche legate al vissuto quotidiano permetterà agli studenti di esercitarsi ad argomentare ricorrendo alla lingua comune e alle proprie esperienze personali ("È giusto tenere un animale in città?", "Le città di oggi sono luoghi invivibili da cui si deve fuggire?", "I soldi fanno la felicità?", "Nei luoghi pubblici va proibito il fumo?). Una maggiore capacità di generalizzare sarà invece necessaria quando si tratta di tematiche meno direttamente legate alle esperienze personali ("Gli ingaggi delle star dello sport e dello spettacolo sono eccessivi?", "Ci dovrebbero essere più donne in Parlamento?") o di carattere generale ("È lecito usare parole e immagini provocatorie in pubblicità?")

Gli argomenti che non richiedono conoscenze di tipo specialistico permettono di focalizzare meglio le tecniche argomentative, rispetto ad altri per i quali la conoscenza del vocabolario tecnico è indispensabile ("L'eutanasia è un reato?", "Si può vivere al giorno d'oggi senza Internet?", "Abbiamo bisogno di una nuova spiritualità?"). D'altra parte, gli studenti esperti di una particolare microlingua saranno facilitati discutendo in lingua straniera di argomenti del loro settore.

Non dobbiamo infine dimenticare, quando si tratta di studenti di nazionalità diversa da quella italiana, i diversi impliciti socioculturali che entrano in gioco nella discussione: per tale ragione sarà necessaria una maggiore verbalizzazione e un minore ricorso all'implicito rispetto alla discussione fra parlanti che condividono lo stesso mondo di riferimento. Affrontare temi quali "La donna di oggi pensa solo alla carriera?" con persone provenienti dal nord-America, dall'Asia e dai paesi arabi porta a tenere conto anche della diversa immagine della donna che si ha in queste aree socioculturali.

Analogamente, prima di introdurre argomenti scottanti come "È ammissibile tradire il/la propria partner?", "È nato l'uomo oggetto?", "Bisogna chiudere l'ingresso agli extracomunitari?" l'insegnante dovrà verificare se essi tocchino dei tabù nelle culture di appartenenza degli studenti, che potrebbero inibire in partenza qualsiasi tipo di discorso argomentativo. Non bisogna dimenticare tuttavia che il punto di riferimento sociolinguistico è quello del paese di cui si studia la lingua, in questo caso l'Italia degli anni Novanta, in cui vige per certi aspetti un diverso concetto di ciò che è *politically correct* rispetto ad altre culture. Di tutto questo si dovrà tenere particolarmente conto in classe, in modo da esplicitare al massimo i riferimenti al mondo culturale di appartenenza, indirizzando la discussione verso atteggiamenti di scoperta reciproca, piuttosto che di intolleranza e chiusura mentale.

5.3. La ricerca di un punto di vista

La discussione in classe può nascere solo quando si verifica un conflitto di idee fra gli studenti: è in quel momento che si passa da un concetto di imparare come "accumulo di informazioni corrette" a un concetto di imparare come "ricerca di un punto di vista". Questa dinamica di classe, raramente favorita nell'insegnamento istituzionale, è invece molto frequente nella didattica della lingua straniera agli adulti, che molto più degli adolescenti dispongono di un bagaglio di esperienze tale da far loro prendere posizione con maggiore determinazione a favore o contro una tesi.

Come osserva Lo Cascio (1995:15), "la conversazione argomentativa può avvenire in termini di collaborazione tra i protagonisti alla ricerca di una comune conclusione o in forma di antagonismo, cioè volta a modificare e condizionare l'universo del proprio interlocutore per tirarlo dalla propria parte". Il fatto che la discussione si svolga in classe e non in un'aula di tribunale, e che il suo scopo sia quello di esercitazione linguistica (indipendentemente dal coinvolgimento emotivo che poi ne scaturisce) spingerà il docente ad indirizzare gli studenti verso una disputa conversazionale del primo tipo, tale da favorire il confronto delle opinioni per poi "pervenire a una conclusione accettabile per i protagonisti", che in ultima analisi è anche una delle regole della buona educazione conversazionale.

5.4. Tipi di interazione in classe

La discussione su un argomento controverso può avvenire mettendo in gioco diversi tipi di interazione: insegnante-allievo, allievo-classe, allievo-allievo di fronte alla classe e con l'insegnante come moderatore, allievo-allievo in attività a coppie, allievo-allievo in attività in piccoli gruppi. Se lo scopo è quello di sviluppare l'abilità integrata di dialogare con funzione argomentativa, è utile che il docente favorisca l'interazione fra pari in una situazione comunicativa informale e esente da stress (come nel caso allievo-allievo in attività di coppia), passando gradualmente alle attività di gruppo, per poi arrivare all'interazione allievo-allievo e allievo-insegnante di fronte alla classe, in cui la situazione più formale richiede anche strutture argomentative più precise e meno dipendenti dal contesto (sull'interazione orale in classe cfr. Brasca/Zambelli, 1992).

Le attività a coppie o in piccolo gruppo mirate a sviluppare l'abilità di argomentare, avranno dunque inizialmente lo scopo di raccogliere e confrontare i dati su una determinata tesi condivisa da tutti. Prima di confrontare punti di vista diversi, quindi, si tratterà di far compiere operazioni quali:

- definire il problema,
- formulare ipotesi,
- raccogliere dati a sostegno di tali ipotesi,
- individuare rapporti logici fra le informazioni (causa-effetto, implicazione, esclusione, ecc.)
- generalizzare.

In un secondo tempo gli studenti potranno esercitare in coppia o in piccolo gruppo la capacità di far valere le proprie opinioni su quelle degli altri in relazione a un tema. Si tratta qui di:

- esporre il proprio punto di vista, motivandolo,
- dare spiegazioni,
- definire i termini usati,
- fare domande,
- fare e confutare obiezioni.

Solo successivamente si potrà passare ad affrontare il giudizio dei compagni e del docente nella discussione plenaria, in una situazione di tipo più formale, in cui si richiede un maggiore controllo sia delle componenti linguistiche che extralinguistiche dell'argomentazione e dell'interazione orale (prendere la parola, rispettare i turni, fare riferimenti a quanto detto prima da altri interlocutori, ecc.).

5.5. Il ruolo dell'insegnante

Da quanto abbiamo detto risulta chiaro che in un atto didattico che punta a sviluppare negli studenti la capacità di argomentare oralmente nella lingua straniera (così come nella madrelingua), l'insegnante non potrà avere il ruolo del depositario delle conoscenze, se non nella fase iniziale in cui spiega il funzionamento del discorso argomentativo, guida l'analisi e l'interpretazione dei testi argomentativi, dà istruzioni su un compito comunicativo. Durante lo svolgimento di tale compito (quale potrebbe essere appunto la discussione a coppie, in piccoli gruppi o di fronte alla classe) il ruolo dell'insegnante sarà quello di organizzare la comunicazione fornendo le coordinate del compito comunicativo da svolgere, rispondendo a dubbi e richieste specifiche degli studenti, organizzando le conoscenze emerse dai lavori di coppia o di gruppo. Durante la discussione plenaria, l'insegnante agirà come moderatore, valorizzando certi interventi o interrompendone altri, ma soprattutto assicurerà la continuità tematica del discorso collettivo, gestendo i momenti di sintesi o ponendo agli studenti degli obiettivi di discussione sempre più complessi.

Concretamente, la discussione plenaria si svolgerà in maniera ottimale con una sistemazione circolare delle sedie o dei banchi, disposti intorno all'oggetto (invisibile ma ben presente) della discussione, mentre l'insegnante si troverà al di fuori di tale cerchio, e si avvicinerà ora all'uno, ora all'altro degli studenti, in modo da dare prova anche visiva della propria "onnipresenza" e imparzialità.

5.6. La disputa conversazionale

Per favorire la discussione, l'insegnante deve saper conoscere in primo luogo quali sono i tipi di "mosse" che caratterizzano la disputa, inoltre deve saper usare strategie che sostengano e facilitino l'interazione fra gli studenti, invece di ricondurre il tutto a semplici risposte alle proprie domande, dando così prova delle sue competenze sull'analisi del discorso argomentativo e delle sue capacità di animatore e moderatore (cfr. Orsolini, 1989; 1993; Bertocchi, 1993).

In una disputa sono due i ruoli fondamentali: quello di chi avanza un'opposizione e quello di chi la riceve. Negli studi sulla disputa fra bambini è stato osservato che "la mossa che avanza un'opposizione è caratterizzata dalla negazione dell'enunciato di un precedente parlante e dalla giustificazione di quella negazione" (Orsolini, 1993: 82). In certi casi questa mossa contiene un'informazione contrastante rispetto alla precedente introdotta dall'interlocutore, inizia con un tono più alto (che funge da negazione implicita) e contiene espressioni avversative ("Sì... ma", "Ma... però"), in altri casi inizia con una negazione esplicita o con la ripetizione in tono esageratamente esclamativo di una espressione usata dall'interlocutore. La risposta ad una mossa oppositiva iniziale, invece, può consistere in una semplice negazione ("Non è vero", "No", "Macché") o "in una controopposizione, in cui l'asserzione dell'avversario viene respinta motivando in qualche modo questo rifiuto" (Orsolini, 1993: 82).

5.7. Il fattore tempo

Nella disputa conversazionale il fattore tempo è fondamentale, specialmente nel caso di parlanti stranieri che aggiungono alla difficoltà di pianificazione del discorso argomentativo orale, quella di utilizzare regole conversazionali e codici linguistici e extralinguistici di un mondo culturale che non è il proprio. La cronemica di molte comunità socioculturali, per esempio, è diversa da quella degli italiani e questo si nota particolarmente quando parlanti di area anglosassone o nipponica sono impegnati in una discussione su un tema controverso con italiani o altri stranieri di area mediterranea: i primi infatti tendono a lasciare all'interlocutore il tempo per esprimere il proprio pensiero e solo a conclusione di questo prendono la parola, i secondi invece utilizzano strategie di turnazione diverse e spesso non esitano ad intervenire ancor prima che l'altro abbia concluso il proprio ragionamento.

A parte le differenze di tipo socioculturale, comunque, come osserva Lo Cascio (1995: 16), bisognerebbe "lasciare al proprio interlocutore il tempo necessario perché possa manifestare il proprio pensiero, possa costruire o ricostruire il messaggio, manifestare il suo grado di adesione, le sue perplessità, le sue riserve, le sue controproposte o le difficoltà a trovare gli agganci e quindi i dati che gli permettano di capire nel modo giusto il ragionamento".

6. Esempi di attività didattiche

L'insegnante che intenda intraprendere con i propri allievi un percorso didattico mirato allo sviluppo della capacità di discutere oralmente in italiano su un tema controverso, facendo valere le proprie opinioni e controbattendo quelle degli altri, si troverà particolarmente avvantaggiato potendo lavorare su immagini e testi relativi ad argomenti di attualità, tratti da pubblicazioni recenti, su aspetti scottanti o controversi che sono oggetto di dibattito nella società italiana contemporanea.

Il punto di partenza, su ciascuno di questi argomenti, sarà:

- una domanda-guida e un'immagine, per la fase di motivazione;
- una selezione di brevi articoli tratti da quotidiani e riviste, per la comprensione e l'analisi;
- una scaletta di argomenti pro e contro, per la discussione in classe.

Sulla base di questo input iconico e scritto relativamente limitato, il docente potrà costruire una serie di attività didattiche mirate, di cui diamo qui alcuni esempi, senza alcuna pretesa di esaustività, ma solo nella speranza di fornire alcune idee utili alla costruzione del percorso formativo più adeguato alla realtà, di volta in volta diversa, della classe di lingua.

L'immagine

Il lavoro preliminare sull'immagine che introduce il tema di discussione può essere realizzato individualmente, a coppie o in piccoli gruppi, su un compito di *brain-storming* (cfr. Mollica *et al.*, 1992). Lo scopo è quello di attivare il vocabolario già noto sull'argomento, di stimolare la capacità di formulare ipotesi, di individuare le parole-chiave che con ogni probabilità ricorreranno più volte nel corso delle attività successive, in modo da preparare le attività di comprensione di testi scritti sul tema. Allo stesso tempo, con lavori a coppie o in piccoli gruppi, si favorirà il passaggio di informazioni da studente a studente, oltre che dal docente agli studenti, puntando sulla transcodificazione dal codice visivo a quello verbale. Ecco alcune proposte di attività sull'immagine:

- Qual è la vostra prima reazione alla vista di questa immagine: non capite di cosa si tratta, vi piace, vi lascia indifferenti, non vi piace, vi disturba, altro... Spiegate perché.
- Individuate il maggior numero possibile di parole che abbiano qualche relazione con quello che viene rappresentato nell'immagine.
- Fate ipotesi su quello che è rappresentato nell'immagine: il luogo, il tempo, il motivo per cui è stata scattata la foto, fatto il disegno o dipinto il quadro; chi sono i protagonisti, cosa pensano, che rapporti ci sono fra loro; in che contesto può essere stata pubblicata l'immagine, ecc.
- Scrivete una didascalia per l'immagine (due-tre parole o una breve frase), mettendo a fuoco la descrizione della scena.
- A quale contesto vi sembra più adatta l'immagine (giornale, rivista, museo, album di foto di famiglia, ecc.)?
- L'immagine vi richiama delle esperienze personali?
- Individuate (se ci sono) degli elementi dell'immagine che si riferiscono ad una particolare cultura, o che ne escludono altre.
- Fate delle ipotesi su una situazione o un fatto che potrebbe precedere la scena illustrata nell'immagine.
- Scrivete una didascalia per l'immagine (due-tre parole o una breve frase), mettendo a fuoco i fatti illustrati, quelli antecedenti o quelli futuri.
- Fate delle ipotesi su una situazione o un fatto che potrebbe seguire la scena illustrata nell'immagine.
- Quale causa (se c'è) potrebbe avere provocato l'effetto illustrato nell'immagine?
- Se l'immagine si riferisse a un problema, quale potrebbe essere?
- Scrivete, come didascalia per l'immagine, un breve paragrafo contenente un ammonimento o una considerazione generale.

LE NAZION
BELLISSIMO
PALALASSIO
17

La domanda-guida

La domanda-guida relativa all'argomento controverso, sarà formulata in modo tale da spingere gli studenti ad esprimersi in proposito con un "sì" o con un "no", oppure di restare in bilico fra queste due posizioni opposte con un "Dipende", "Non so", o "Non capisco bene la domanda". Come nel caso dell'immagine, la domanda (che in certi casi potrà anche risultare provocatoria) può essere presentata in fase di motivazione come *brain-storming* mirato all'attivazione del lessico, alla formulazione di ipotesi, all'individuazione delle parole-chiave. Qualche esempio:

- Appena letta una prima volta la domanda, scegliete in pochi secondi la prima risposta che dareste istintivamente, fra le seguenti:
  ❑ SÌ ❑ NO ❑ DIPENDE ❑ NON SO ❑ NON CAPISCO LA DOMANDA
- Riformulate la domanda con altre parole.
- Chi ha risposto "Sì", "No" o "Dipende", scriva la prima spiegazione che gli viene in mente per motivare la sua risposta.
- Chi ha risposto "Sì", "No" o "Dipende", scriva il primo esempio che gli viene in mente a sostegno della sua risposta.
- Dopo aver chiarito bene a quali problematiche si riferisce la domanda-guida, l'insegnante chiede agli studenti di prendere posizione intimamente per il "Sì" o per il "No". Dopodiché, ciascuno studente, muovendosi liberamente nella classe, formulerà la domanda ad ogni compagno, fino a trovare chi ha risposto come lui: si formano così delle coppie casuali di persone con opinioni simili, che potranno collaborare ad individuare altri motivi a sostegno della propria scelta.
- In una fase più avanzata di attività si può procedere come indicato al punto precedente per formare le coppie, ma in questo caso si metteranno insieme persone con opinioni diverse, in modo da far discutere sui pro e contro legati allo stesso tema.
- Lavoro a coppie: discutete sulla domanda-guida, immaginando un contesto possibile in cui sia pronunciata (chi fa la domanda a chi, quando, dove, a che scopo...).
- Lavoro a coppie: discutete sulla domanda-guida, facendo ipotesi sulle implicazioni che potrebbe avere, se riferita ad ambiti socioculturali diversi.
- Lavoro di gruppo: discutete sul tema presentato dalla domanda guida, cercando di inserire delle parole-chiave in una tabella dei pro e dei contro di questo tipo:

	PRO	CONTRO
Motivi etici		
Motivi pratici		
Esempi		
Dati		

Le buone maniere fanno parte di costumi ormai sorpassati?

Nei luoghi pubblici va proibito il fumo?

Bisogna far di tutto per cercar di vivere il più a lungo possibile?

È crudele indossare le pellicce?

È nato l'uomo oggetto?

I testi

Verranno proposti agli studenti alcuni brani di articoli di quotidiani e riviste (ma potrebbero essere anche pubblicità scritte o radiotelevisive, brani di canzoni o di testi letterari, sequenze di film, ecc.) che trattano l'argomento in maniera soggettiva o oggettiva, fornendo alcuni esempi di discorso argomentativo più o meno palese su cui l'insegnante potrà proporre attività di comprensione, di analisi, di riflessione guidata, sul tipo delle seguenti:

- Leggete rapidamente uno dei testi relativi all'argomento controverso oggetto della lezione e decidete se:

❑ l'opinione dell'autore è a favore della domanda-guida sul tema,
❑ l'opinione dell'autore è contro la domanda-guida sul tema,
❑ l'autore presenta le diverse opinioni sul tema, senza prendere posizione,
❑ l'autore descrive dati relativi al tema di discussione, senza prendere posizione,
❑ l'autore racconta fatti realmente accaduti, relativi al tema di discussione, senza prendere posizione,
❑ altro: ______________________________

- La classe si divide in tanti gruppi quanti sono i testi proposti: ognuno legge il proprio testo e poi in gruppo discute con i compagni su come si potrebbe riassumere l'articolo, cercando solo di decidere se quell'articolo potrebbe servire più ai sostenitori del "Sì" o a quelli del "No", e per quali ragioni.

- Lavoro individuale: ciascuno legge i testi proposti alla ricerca di un paragrafo argomentativo a sua scelta, da cui isolare e trascrivere la tesi centrale espressa dall'autore.

- Cercate nei testi proposti tutte le osservazioni a favore della domanda-guida e riassumete in una scaletta le diverse argomentazioni a sostegno della tesi del "Sì".

- Cercate nei testi proposti tutte le osservazioni contro la domanda-guida e riassumete in una scaletta le diverse argomentazioni a sostegno della tesi del "No".

- Leggete individualmente uno dei testi proposti e estraete tutti i vocaboli che vi sembra appartengano all'area semantica relativa al tema di discussione.

- Leggete individualmente uno dei testi proposti e sottolineate tutte le espressioni che indicano che si tratta di un'opinione dell'autore (*credo, ritengo, a parer mio, reputo, mi sembra,...*)

- Leggete individualmente uno dei testi proposti e sottolineate tutte le espressioni che legano una frase all'altra per esprimere:
  - la conseguenza: *perciò, per cui, per questo, dunque, quindi, pertanto*;
  - la riserva: *a meno che, purché*;
  - l'opinione alternativa: *però, ma, d'altra parte, tuttavia, peraltro*;
  - il controargomento: *nonostante, sebbene, benché, anche se*;
  - il rinforzo: *anzi*.

- Leggete individualmente uno dei testi proposti e cercate un'argomentazione che sia composta da una opinione e almeno un argomento a favore di tale opinione, riscrivendoli a parte in una frase completa.

- Lavoro a coppie: dopo aver letto individualmente uno degli articoli proposti discutete con il vostro compagno sulla struttura profonda del ragionamento e individuate almeno un "paragrafo argomentativo" composto da un'unica unità di ragionamento espressa con una introduzione, uno svolgimento e una conclusione, riscrivendolo a parte in uno schema di questo tipo:

INTRODUZIONE: **(problema)**

SVOLGIMENTO: **(tesi, dati, esempi)**

CONCLUSIONE:

- Chi si è schierato per la risposta "Sì" cerchi nei testi relativi al tema di discussione tutte le argomentazioni a favore della propria tesi e le riassuma in brevi affermazioni o parole-chiave. Dopo questa fase di lavoro individuale, gli studenti del gruppo del "Sì" si mettono a lavorare in gruppo per costituire una scaletta comune di argomentazioni a favore tratte dai testi appena letti, accordandosi sul modo di formulare ogni argomento in una frase sintetica. La stessa operazione sarà fatta contemporaneamente dagli studenti del gruppo del "No".

- Lavoro a coppie: due studenti con opinioni diverse commentano fra loro in maniera opposta un grafico o una tabella di dati relativi al tema di discussione.

- *Role-play*: ciascuno sceglie il testo argomentativo che preferisce e si prepara a trasformarlo in un breve monologo orale in cui assumerà il ruolo di un personaggio citato nel testo (o dell'autore stesso), proponendolo poi alla classe.

- *Role-play*: due studenti scelgono il testo argomentativo che preferiscono e si preparano a trasformarlo in un breve dialogo, in cui ciascuno impersona uno dei personaggi citati (possibilmente con opinioni opposte), proponendolo poi alla classe.

MANUALI

ISTRUZIONI PER L'HORROR

"L'uccisione dell'animale da pelliccia completa le fatiche di un intero anno. E' quindi un momento estremamente delicato: un piccolo errore può danneggiare più o meno gravemente la pelliccia". Questo si legge in "Allevamento del visone" (D. Scaramella e G. Motti, Edagricole) e questa è da sempre la linea degli allevatori: evitare qualsiasi pratica che possa rovinare il pelo degli animali.

"Le volpi, ad esempio, vengono uccise per elettrocuzione - spiega Walter Caporale, della Lav -. Un elettrodo viene assicurato alla bocca dell'animale e l'altro all'ano. Una scossa di circa 200 volt provoca una morte che dovrebbe sopraggiungere in pochi secondi, ma che spesso è più lenta. L'elettricità fa irrigidire l'animale e rizzare il pelo. La pelliccia sarà quindi più voluminosa e morbida. Autentiche nefandezze poi vengono commesse per ricavare diversi tipi di pelliccia dall'agnello della pecora karakul, allevata soprattutto in Iran, Afghanistan, Asia centrale, Ucraina, Sud Africa e Namibia. Gli agnelli vengono sgozzati e scuoiati tra il quinto e il decimo giorno di vita, quando il pelo è particolarmente morbido e piacevolmente arricciato. Così si ricavano il persiano e l'astrakan. Il breitschwanz, più pregiato, si ottiene invece da agnelli abortiti".

Vanità anni Novanta/Il nuovo narcisismo dell'uomo

Pavonissimo

Ritocchi ai fianchi e alla pancetta, mèche al torace, regolare pulizia del viso. Il maschio non si vergogna più. Ed è subito business.

Il professionista cinquantenne è seduto nella sala d'attesa di un noto parrucchiere da uomo. Aspetta di tagliarsi i capelli? Nient'affatto. Farà la tintura del torace, per evitare di esibire sulle spiagge un busto canuto da Ulisse invecchiato, rifinirà la depilazione a ceretta delle spalle, troppo lussureggianti, e, come fa ogni 40 giorni, offrirà all'estetista il suo maschio volto per la pulizia del viso. Vicino a lui, assorto nella lettura di un giallo, un signore più giovane aspetta di fare «un giro di lampada» per poi accomodarsi nella cabina per la seduta di manicure. Perché mostrare, infatti, durante il consiglio d'amministrazione, delle unghie da «antenato»? Quella descritta non è una scenetta rubata in un centro estetico di Rodeo Drive, a Beverly Hills, Los Angeles. Si tratta di uno sketch di ordinaria amministrazione nelle grandi città italiane. Il maschio pavone infatti, sempre più innamorato del suo aspetto, è una specie in espansione.

Panorama 6 Agosto 1994

SCATENATE AL TELEFONO

Il turpiloquio trionfa al telefono. Secondo una ricerca condotta dall'Osservatorio linguistico e culturale dell'università La Sapienza di Roma, le parolacce si dicono con più frequenza e disinvoltura via cavo. «Il telefono favorisce l'intimità e la disinibizione» spiega Tullio De Mauro, linguista. «È quasi un lettino dello psicanalista: ci si lascia andare, si abbassano le censure. E anche le donne che normalmente usano un linguaggio pulito, protette dalla cornetta si permettono qualche imprecazione colorita». Comunque, sempre molto meno dei loro compagni.

Donna Moderna 10.1.1996

Lo dicono i pediatri

Figli più bassi se le mamme fumano

ROMA — I figli delle donne che fumano sono più bassi rispetto agli altri. Lo afferma uno studio presentato durante i lavori della Settimana Pediatrica. Lo studio, ha spiegato il professor Giorgio Rondini, ha preso in considerazione lo sviluppo di 75 bambini che avevano avuto una crescita intrauterina stentata e si è basato sul confronto tra i bambini nati da madre fumatrice e quelli nati da madre non fumatrice. Tre i parametri presi in considerazione: altezza, peso e circonferenza cranica. I figli delle fumatrici a 7 anni avevano un deficit di peso (–15%) maggiore di quello dei figli delle non fumatrici (–8%). Ad essere compromessa è però soprattutto l'altezza: i nati da fumatrici hanno un deficit di statura del 15% rispetto al 4% di quelli nati da donne che non fumano.

La Repubblica 29.9.1995

Usa, sì al cerotto al testosterone per fare l'amore a settant'anni

NEW YORK — L'ente americano per il controllo dei farmaci ha approvato un nuovo cerotto al testosterone, il principale ormone sessuale maschile, che rinverdisce per gli uomini il sogno di trovare una "seconda giovinezza". A mettere sul mercato il prodotto sarà la società farmaceutica inglese Smith Kiline Beecham. Il cerotto potrà essere collocato sul braccio, sull'addome, sulla schiena o sulla coscia. Il cerotto è stato approvato dalle autorità federali come cura per l'ipogonadismo, una condizione causata dall'insufficiente produzione di testosterone. I sintomi possono comprendere l'impotenza, la perdita del desiderio sessuale, l'affaticamento, la depressione e l'osteoporosi.

La maggior parte degli uomini ha un calo nei livelli di testosterone tra i 40 e i 50 anni e all'età di 70 anni producono la metà della quantità di ormone di quando avevano trent'anni. Secondo alcune stime il 15 per cento degli uomini anziani potrebbe soffrire della condizione trattata dal cerotto.

La Repubblica 4.10.1995

La scaletta degli argomenti

Per passare dalla lettura e dall'analisi del testo scritto di tipo argomentativo alla conversazione e all'argomentazione orale, si potrà lavorare su una scaletta di motivazioni a favore o contro la tesi riassunta nella domanda-guida, stimolando gli studenti a prendere posizione e ad esprimere il proprio parere prima in attività a coppie, poi in discussioni di gruppo e infine in un dibattito che coinvolga tutta la classe.

- Confrontate la scaletta degli argomenti a favore, con le tesi sostenute negli articoli relativi al tema di discussione e individuate quelli utilizzati dagli autori dei testi. Scegliete una affermazione della scaletta e ricopiate le parole usate nei testi per esprimere lo stesso concetto, in modo da avere due o più frasi a sostegno di quella motivazione. Lo stesso procedimento può essere usato per gli argomenti contrari.

- Ciascuno legge individualmente le affermazioni contenute nella scaletta dei pro e dei contro e segna con una crocetta quelle che pensa di condividere. Dopo qualche minuto di riflessione, ciascuno decide se preferisce schierarsi dalla parte del "Sì" o del "No" (può darsi che a questo punto la sua opinione sia cambiata, rispetto alla risposta che aveva dato inizialmente alla domanda-guida, oppure che decida di appoggiare un'opinione che non condivide, come puro esercizio dialettico): sarà questa l'opinione che dovrà sostenere nelle successive attività di discussione orale in classe.

- Lavoro a coppie: due studenti che condividono la stessa opinione sul tema di discussione si alternano parafrasando e spiegando a turno l'un l'altro le affermazioni della scaletta che più condividono.

- Lavoro a coppie: due studenti che condividono la stessa opinione sul tema di discussione scelgono l'affermazione della scaletta che più condividono e ne discutono a fondo, utilizzando soprattutto questi atti comunicativi:
  - chiedere e dare spiegazioni,
  - definire i termini usati,
  - chiedere il parere,
  - esprimere accordo.

- Lavoro di transcodificazione: a coppie o a gruppi, gli studenti lavorano sulla realizzazione di vignette che illustrino alcune affermazioni della scaletta a sostegno della propria tesi, da mostrare poi ai compagni.

- Lavoro di parafrasi: a coppie o a gruppi, gli studenti lavorano sulla individuazione di proverbi italiani (o stranieri tradotti) che possano valere a sostegno della propria tesi, da aggiungere alle affermazioni della scaletta.

- Lavoro a coppie finalizzato all'ampliamento degli argomenti contenuti nella scaletta: due studenti che condividono la stessa opinione sul tema di discussione, cercano insieme di ampliare il più possibile la scaletta degli argomenti a sostegno della propria tesi, in modo da contribuire con nuove o più forti motivazioni alla discussione finale.

- Lavoro a coppie: due studenti con opinioni diverse si esercitano alla disputa conversazionale sul tema controverso, che avverrà poi di fronte a tutti nella discussione finale: a turno scelgono l'affermazione

della scaletta che più si adatta a controbattere la tesi dell'avversario, e la illustrano oralmente, utilizzando soprattutto questi atti comunicativi:
• esporre il proprio punto di vista, motivandolo,
• fare e confutare obiezioni,
• esprimere disaccordo in maniera cortese.

• *Role-play* a coppie in laboratorio linguistico: due studenti con opinioni diverse simulano una disputa al telefono, in cui esprimono con parole proprie il contenuto delle affermazioni della scaletta che più si adatta a controbattere la tesi dell'interlocutore.

• *Role-play* a coppie: i membri della coppia con opinioni diverse decidono un contesto in cui sia plausibile immaginare una discussione sul tema controverso e preparano una scena da rappresentare poi alla classe. Prima di improvvisare il dialogo (da realizzare inserendo almeno alcuni argomenti contenuti nella scaletta) dovranno decidere:
• identità, ruoli reciproci, stato sociale, partecipazione emotiva degli interlocutori,
• luogo in cui si svolge la discussione (in famiglia, al bar, in tribunale, in contatto radio, ecc.)
• scopo comunicativo dell'argomentazione (fatico, se si tratta di una semplice conversazione per passare il tempo; persuasivo, se si vuole influire sul modo di agire e sulla volontà dell'interlocutore; cognitivo, se si vuole spingere l'interlocutore a condividere la propria opinione a livello concettuale e astratto).

• Lavoro di gruppo "collaborativo": l'insegnante forma dei piccoli gruppi mettendo insieme chi, per alzata di mano, si sente di condividere la stessa affermazione fra quelle della scaletta dei pro e dei contro. Ogni gruppo lavora attorno all'affermazione prescelta, cercando tutti i possibili esempi a sostegno di tale opinione. In particolare i membri del gruppo dovranno cercare di:
• definire il problema,
• formulare ipotesi,
• raccogliere dati a sostegno di tali ipotesi,
• individuare rapporti logici fra le informazioni (causa-effetto, implicazione, esclusione, ecc.),
• generalizzare.
Un portavoce del gruppo sosterrà poi davanti al resto della classe l'opinione condivisa da tutti, con relativi esempi e dati.

• Simulazione di conferenza stampa: un portavoce del gruppo che ha lavorato sugli argomenti a favore di una tesi parla di fronte ai membri del gruppo opposto che impersonano i giornalisti (verrà deciso preliminarmente il suo ruolo e il motivo della conferenza stampa indetta per parlare a favore della propria tesi). Il suo breve monologo, seguito dalle domande dei "giornalisti" e dalle sue risposte, potrà essere videoregistrato e analizzato successivamente.

• Lavoro di gruppo: si divide la classe in due gruppi con opinione opposta. Ogni gruppo elabora una serie di domande per mettere in difficoltà il gruppo avversario (richiesta di spiegazione su casi concreti, esempi contrari, ecc.). Un portavoce di ogni gruppo formulerà poi queste domande e il gruppo avverso dovrà poi rispondere controbattendo punto per punto.

• Gli studenti che formano il gruppo di coloro che sono per la risposta "Sì" si dividono in due sottogruppi (A e B) che si siedono a due angoli opposti della classe. Ogni membro del gruppo A sceglie segretamente un'affermazione fra quelle elencate nella scaletta degli argomenti a favore e, quando è il suo turno, la spiega con un breve monologo che abbia la struttura di un'argomentazione, senza però mai usare neanche una delle parole contenute nella frase di partenza (l'insegnante avrà la funzione di controllo su questa regola del gioco). Alla fine del proprio monologo (durata massima: 3 minuti), lo studente nomina un compagno del gruppo B, che dovrà ritrovare, fra le frasi della scaletta, quella parafrasata e illustrata con altre parole dal compagno. Se ci riesce in 10 secondi, il gruppo del "Sì" guadagna un punto. Analogamente può lavorare, a turno, il gruppo che si è schierato per il "No".

• Gli studenti che formano il gruppo di coloro che sono per la risposta "Sì" devono studiare una strategia per convincere un membro scelto da loro del gruppo con opinione opposta. Conoscendo bene questo loro compagno dovranno:
• definire l'obiettivo (la tesi su cui si vuole ottenere il consenso);

- riflettere sul destinatario (quali argomenti è in grado di comprendere, la sua mentalità, se è favorevole o contrario a priori);
- decidere le condizioni ottimali in cui l'argomentazione potrebbe avere successo (circostanze, tempo/spazio a disposizione, luogo);
- scegliere gli argomenti che meglio si adattano all'interlocutore e alla situazione;
- individuare la forza degli argomenti e organizzarne la successione;
- decidere il tono generale al quale uniformare il testo.

Dopo un certo tempo dedicato alla preparazione, il gruppo indica il proprio destinatario e illustra la situazione in cui verrà simulato il tentativo di convincerlo a sposare la causa avversa. Il gruppo avrà 5 minuti per realizzare il proprio obiettivo, dopodiché il compagno dovrà decidere se restare con il proprio gruppo o passare al gruppo opposto.

- Contraddittorio in pubblico: un membro del gruppo del "Sì" e uno del gruppo del "No" si affrontano di fronte al resto della classe in un breve contraddittorio. Ognuno dei due ha a disposizione un tempo prestabilito (p.es. 2 minuti) per riassumere tutte le argomentazioni individuate dal proprio gruppo a sostegno della propria tesi. In questa fase tutti lo ascoltano e nessuno può interromperlo. L'insegnante controlla il tempo, dà la parola e la toglie al momento opportuno. Successivamente, i due partecipanti al contraddittorio hanno 5 minuti di tempo per controbattersi di fronte agli altri: ognuno avrà il compito specifico di tenere il più possibile la parola senza farsi interrompere, portare le motivazioni alla propria tesi e controbattere le tesi dell'altro con controargomentazioni valide. L'insegnante funge da arbitro: prende appunti sul contenuto e sulle modalità espressive dei due partecipanti, e alla fine indica chi è sembrato più convincente. Se il contraddittorio viene videoregistrato, può essere presentato anche ad un'altra classe, che sarà chiamata ad esprimere il proprio verdetto per alzata di mano.

- Discussione finale: il gruppo degli studenti a favore e quello degli studenti contrari, rispetto alla domanda-guida sul tema controverso, prendono posto gli uni di fronte agli altri, con l'insegnante al centro o di fianco come moderatore. La discussione è libera e l'attribuzione dei turni di parola non avviene per alzata di mano, ma secondo la capacità di ciascuno di inserirsi nella discussione. L'insegnante interviene solo se espressamente chiamato in causa, per fare il punto delle argomentazioni portate in campo o per ricondurre il discorso sul tema centrale, nel caso che la discussione abbia preso un diverso indirizzo.

- *Role-play* di gruppo: si tratta di una discussione, come nel caso precedente, ma qui i partecipanti hanno lo scopo preciso di trovare un punto di accordo fra le diverse opinioni dei partecipanti, in modo da concludere la controversia con il numero più ampio possibile di argomenti su cui tutti sono d'accordo.

- Simulazione di *talk-show*: si formano quattro gruppi (fra questi almeno uno a sostegno di una tesi, e gli altri a favore della tesi opposta). Ogni gruppo elabora i punti di una scaletta che servirà al loro portavoce per il dibattito a quattro. Dopo un certo tempo dedicato alla preparazione, l'insegnante dà il via alla simulazione di *talk-show*: invita i quattro portavoce a sedersi, in qualità di esperti, attorno a un tavolo, mentre il resto degli studenti si troverà in piedi alle loro spalle in modo da poter seguire da vicino il dibattito. Presenta gli "esperti" al pubblico, dà loro il benvenuto e invita ciascuno a prendere posizione sul tema della discussione. Ciascuno studente durante il dibattito potrà spostarsi con la propria sedia dietro a quello degli "esperti" che gli sembra il più convincente, suggerendogli sottovoce anche degli argomenti, se vuole. Al termine di un tempo prestabilito (circa 10 minuti), l'insegnante ringrazia gli "esperti" e il pubblico, fa un riepilogo degli argomenti trattati e chiude il dibattito, invitando a riflettere su qualche aspetto della controversia particolarmente scottante.

- Interviste fuori della classe: gli studenti dovranno intervistare persone italiane o straniere chiedendo loro di prendere posizione sul tema proposto dalla domanda-guida, e di portare almeno un argomento a sostegno della propria opinione. Ogni studente riferirà poi alla classe i risultati delle proprie interviste, in modo da fare anche una statistica (l'insegnante potrà dare indicazioni sull'età, lo stato sociale, la provenienza geografica, il sesso delle persone da intervistare, per potere anche formulare delle ipotesi sui dati così raccolti).

Nei luoghi pubblici va proibito il fumo?

PRO

1. C'è già abbastanza inquinamento. Perché aggiungere anche il fumo?
2. Il fumo passivo è dannoso quanto quello attivo.
3. "Suicidatevi se volete, ma lontano da noi!"
4. La pubblicità delle sigarette va proibita in tutto il mondo.
5. Bisogna informare la gente sui danni fisici che può provocare: malattie cardiache, tumori, enfisema, asma e anche impotenza sessuale.
6. Può creare danni al feto di una gestante che fuma.
7. Il tabagismo è una dipendenza paragonabile a quella dovuta a alcol o droga.
8. Crea tensione nervosa.
9. Chi fuma è vittima di modelli presentati dai mass media.
10. È spesso associato all'uso di alcol o altre sostanze tossiche.
11. I giovani fumano solo per sentirsi adulti.
12. I governi sono responsabili della morte di tante persone, dovrebbero investire in campagne anti-fumo.
13. Le donne fumatrici perdono classe e fascino.
14. Produce cattivo odore in spazi comuni.
15. Fumare in luoghi pubblici è un gesto di maleducazione e mancanza di rispetto per il prossimo.
16. Il personale del servizio sanitario dovrebbe dare il buon esempio: è scandaloso che nel nostro paese molti medici ed infermieri fumino!

CONTRO

1. Si criminalizzano i fumatori per distrarre l'opinione pubblica da altri problemi.
2. Il proibizionismo è antidemocratico e persecutorio.
3. Ognuno ha il diritto di gestirsi la propria vita.
4. Non si può proibire il fumo dopo tanti secoli, fa parte della nostra tradizione culturale.
5. Bisogna dotare i locali pubblici di aspiratori efficienti.
6. Meglio godersi la vita senza pensare troppo al futuro.
7. Tanto, alla fine, si deve pur morire in ogni modo.
8. La sigaretta è una grande compagnia.
9. Il piacere del tabacco è uno dei più grandi della vita.
10. Aiuta a pensare e a riflettere.
11. Rilassa psicologicamente.
12. Molti geni e intellettuali erano grandi fumatori.
13. I fumo non fa più male dello smog e delle sostanze chimiche presenti nel cibo.
14. Le sigarette portano molti introiti fiscali allo Stato.
15. L'industria del tabacco dà impiego a molti lavoratori.

Le buone maniere fanno parte di costumi ormai sorpassati?

PRO

1. Fare il *gentleman* con una signora vuol dire considerarla inferiore.
2. Il bon ton è il simbolo di una società ipocrita che si basa sulla falsità.
3. Un eccesso di bon ton crea molte moine ridicole.
4. Nella società contemporanea in cui la violenza è all'ordine del giorno, usare il bon ton sarebbe fuori luogo.
5. Fare la fila per ogni circostanza non rientra nella nostra tradizione culturale.
6. Portare il telefonino cellulare in ogni luogo può essere fastidioso ma è ormai indispensabile.
7. Come si può richiedere il bon ton alla gente comune quando i politici si offendono volgarmente ed arrivano persino ad azzuffarsi in Parlamento?
8. I mass media diffondono una cultura in cui trionfa la volgarità, la maleducazione e il turpiloquio. Non c'è da stupirsi che sia questo il modello seguito da gran parte della gente.
9. Il mondo sportivo, e in particolare il popolarissimo calcio, non fanno che alimentare la violenza dei tifosi con gestacci e parolacce in campo.
10. Porre delle sanzioni contro i "maleducati" farebbe solo aumentare il fascino per il proibito e sarebbe controproducente.

CONTRO

1. Le buone maniere sono un sintomo di civiltà e quindi non dovrebbero passare mai di moda.
2. La mancanza di rispetto verso il prossimo è alla base del degrado culturale della nostra società.
3. Nei paesi in cui la democrazia è ancora giovane (come l'Italia), la buona educazione è ancora in fase di apprendimento.
4. Lo stress a cui siamo sottoposti quotidianamente non giustifica comportamenti volgari e smisurati.
5. È meglio usare espressioni convenzionali (come "grazie", "per favore" ecc.) che possono sembrare ipocrite, piuttosto che non usarle affatto ed essere sgarbati.
6. Cedere il posto ad una signora vuol dire rispettare le donne senza considerarle subalterne.
7. Anche se i politici, la TV e il cinema danno modelli di cattiva educazione, ciò non vuol dire che si debbano seguire.
8. Il consumismo e il permissivismo hanno scalzato i valori della cortesia, solidarietà e della tolleranza.
9. Le persone che strombazzano il clacson dalle loro auto o che usano il telefono cellulare in tutti i luoghi lo fanno solo per mostrare i loro *status symbol*.
10. Nella nostra società plurietnica la maleducazione cresce di pari passo con l'intolleranza e la mancanza di rispetto reciproco.
11. Se la scuola e la famiglia educassero al rispetto per l'ambiente, le strade e i parchi sarebbero più puliti.
12. Porre delle sanzioni potrebbe incoraggiare il rispetto civile.

È crudele indossare le pellicce?

PRO

1. Bisogna rispettare gli animali.
2. Non viviamo più nell'età della pietra: possiamo vestirci in modo più civile.
3. Ormai esistono le microfibre sintetiche che tengono anche più caldo.
4. Si possono indossare pellicce ecologiche. Perché uccidere animali innocenti?
5. La pelliccia non rende la donna chic, al contrario la rende volgare.
6. È uno status symbol per donne ignoranti e insensibili.
7. È un regalo per la donna oggetto.
8. Non sono più di moda. La tendenza *politically correct* non le ammette.
9. Purtroppo in Italia la moda "*cruelty free*" è ancora poco diffusa.
10. Occorrono fino a 40 animali per fare una pelliccia: è un massacro!
11. Negli allevamenti gli animali perdono il loro ambiente naturale.
12. Negli allevamenti perdono le loro abitudini: il loro comportamento degenera.
13. È un settore in cui le crudeltà e gli abusi non possono essere controllati e puniti.
14. Gli animali sono uccisi col gas, con l'elettricità o strangolati.
15. I cuccioli perdono le loro mamme che diventano pellicce.

CONTRO

1. È un'industria molto importante per l'Italia.
2. Dà lavoro a molte persone e rende ingenti profitti.
3. È un'antica tradizione dell'artigianato italiano che non si deve perdere.
4. In Italia si fanno le pellicce più eleganti del mondo. Perché distruggere questo settore attivo dell'economia?
5. Le pellicce rendono le donne eleganti e affascinanti.
6. Questo atteggiamento nasce dalla gelosia di chi non se le può permettere.
7. Gli animalisti sono ipocriti: spesso mangiano carne e usano oggetti in pelle.
8. Le campagne degli animalisti sono troppo estremiste, ottengono effetti contrari.
9. Tali campagne usano la stessa violenza che proclamano di combattere.
10. Gli animali da pelliccia sono tutti d'allevamento.
11. I piccoli stanno vicino alle mamme e non sono abbandonati.
12. Spesso gli animali (per es. i conigli e gli agnelli) sono poi usati nel mercato alimentare.
13. Gli esseri umani devono avere la precedenza nell'ecosistema.
14. In certi climi freddi non si potrebbe vivere senza le pellicce.
15. Molte star rinunciano a indossarle solo per farsi pubblicità e per esibizionismo.

Bisogna far di tutto per cercar di vivere il più a lungo possibile?

PRO

1. Se si arriva alla vecchiaia in buona forma, si può continuare ad essere utili alla società.
2. Se si è felici è naturale cercare di voler allungare la propria vita.
3. Si passano anni a costruire la propria carriera: con una vita più lunga si avrebbe più tempo per mettere a frutto tanti progetti.
4. Dopo aver lavorato per tanti anni è giusto avere una lunga e serena vecchiaia.
5. La medicina offre nuovi farmaci per rallentare l'invecchiamento.
6. Il segreto è non morire dentro e coltivare interessi di ogni tipo.
7. La società ha bisogno della saggezza degli anziani (e del loro carisma).
8. La chirurgia plastica può far sparire i segni degli anni.
9. Bisogna celare la propria età. Ci sono troppi pregiudizi sugli anziani.
10. Se ci fossero circoli ed attività per gli anziani, la "terza età" sarebbe piacevole.
11. Gli anziani non sono un "peso morto": possono offrire il loro volontariato in tanti istituti.
12. Gli anziani possono aiutare la propria famiglia prendendosi cura dei nipotini.

CONTRO

1. Non si deve contrastare il corso naturale della vita.
2. La vecchiaia è una "solenne fregatura". Perché volerla allungare?
3. Gli acciacchi e la solitudine non sono una bella prospettiva.
4. La società ha bisogno di energie nuove, non di un esercito di anziani da mantenere.
5. Gli anziani costano troppo in cure mediche e assistenza sociale.
6. Bisogna accettare il decadimento del corpo.
7. La chirurgia plastica crea figure "disumane" e ridicole.
8. Non si può pensare di evitare la fine a cui siamo destinati.
9. L'immortalità è solo un mito letterario (per es. "Faust").
10. Prendere farmaci, anche se per ringiovanire, fa pur sempre male.
11. Cercare di ringiovanire può diventare un'ossessione nociva.
12. È meglio passare il corso degli anni con dignità che cercare di allungare la propria vita artificialmente.

È nato l'uomo oggetto?

PRO

1. È una tendenza che cresce parallelamente alla liberazione della donna.
2. Gli uomini sono sempre più aggrediti da donne audaci e disinibite.
3. La donna è diventata intraprendente: ama il ruolo della conquistatrice.
4. Il fisico maschile è sempre più usato per arrivare al successo.
5. Il nudo maschile è molto diffuso nelle nuove pubblicità.
6. L'uomo è sempre più narcisista: fa diete, palestra, frequenta i saloni di bellezza.
7. La chirurgia plastica è sempre più diffusa tra gli uomini.
8. I concorsi di bellezza riservati agli uomini sono piuttosto diffusi.
9. Il narcisismo è inevitabile in una cultura dominata dalle immagini.
10. Le statistiche lo confermano: più di un terzo degli uomini italiani si sente sedotto.
11. Tra le donne, una su tre si sente cacciatrice.
12. Oggi la donna è aggressiva, sexy e forte: è una miscela esplosiva.

CONTRO

1. Anche se oggi le donne sono più libere, non si può parlare di "uomo oggetto".
2. Purtroppo l'uso del nudo femminile per fini commerciali è ancora dominante.
3. Alla fine sono solo le donne a subire le violenze fisiche.
4. I dati sulla prostituzione parlano da soli: sono le donne ad essere sfruttate in questa società.
5. Il vittimismo di uomini "sedotti e abbandonati" non convince nessuno.
6. La donna che molesta e arriva a violentare l'uomo è un'invenzione cinematografica.
7. Film come "Attrazione fatale" e "Rivelazioni" propongono personaggi femminili che sono offensivi per la maggioranza delle donne.
8. Il narcisismo maschile (saloni di bellezza, palestre ecc.) è un lusso che non tutti possono permettersi.
9. La donna seduttrice rischia di ripetere il cliché dell'uomo macho: è assurdo imitare comportamenti criticati per anni.
10. Al giorno d'oggi c'è la tendenza al collezionismo in tutti i campi: anche nella seduzione e da parte di ambedue i sessi.
11. Da sempre, in fondo, è stata la donna a scegliere il suo partner, solo che prima era sconveniente fare il primo passo.

Riferimenti bibliografici

ERTOCCHI D., 1993
Parlare in gruppo, in Corno D. (cur.) (1993), *Vademecum di educazione linguistica*, Firenze, La Nuova Italia, 71-77

RASCA L., ZAMBELLI M.L., (CUR.) 1992
Grammatica del parlare e dell'ascoltare a scuola, Quaderni Giscel/13, Firenze, La Nuova Italia

OLOMBO A. (CUR.), 1992
I pro e i contro. Teoria e didattica dei testi argomentativi, Firenze, La Nuova Italia

ORNO D., (1991)
Valersi dei pro e dei contro. I principali aspetti dell'argomentazione in classe, in "Italiano e Oltre", 1 (1989), 23-24

ORNO D., (CUR.) 1993
Vademecum di educazione linguistica, Firenze, La Nuova Italia

E MAURO T. *et al.*, 1993
Lessico di frequenza dell'italiano parlato, Milano, Etas Libri, Fondazione IBM

ardano M., 1981
Il linguaggio dei giornali italiani, Laterza, Bari

ARDANO M., TRIFONE P., 1995
Grammatica italiana con nozioni di linguistica, Bologna, Zanichelli

ELLA CASA M., 1994
Scrivere testi. Il processo, i problemi educativi, le tecniche (cap. 10 "I testi argomentativi", 431-494) Firenze, La Nuova Italia

ATTI R., 1989
La discussione, in Genovese L., Kanizza S. (cur.), *Manuale della gestione della classe nella scuola dell'obbligo*, Milano, Franco Angeli, 399-417

AVINIO C., 1991
Testi monolitici e poco 'persuasivi', in "Italiano e Oltre" 4 (1991), 171-173

O CASCIO V., 1991
Grammatica dell'argomentare: strutture e strategie, Firenze, La Nuova Italia

O CASCIO V., 1992a
La dimensione testuale: tendenze e profili argomentativi dell'italiano di oggi, in Moretti B. *et al.* (cur.) *Linee di tendenza dell'italiano contemporaneo*, SLI 33, Roma, Bulzoni, 407-428

LO CASCIO V., 1992b
Strutture e strategie argomentative: variazioni culturali e implicazioni didattiche, in Lavinio C. (cur. (1992), *Lingua e cultura nell'insegnamento linguistico*, Firenze, La Nuova Italia, 39-57

LO CASCIO V,. 1995
Le regole della buona argomentazione, in "Italiano e Oltre", 10 (1995), 12-17

MOLLICA A. *et al.*, 1992
Una immagine vale 1000 parole. Guida per l'insegnante. Libro 1, Welland (Ontario, Canada), Soleil Ed

ORSOLINI M., 1989
Conflitto di opinioni. Caratteristiche e valenze educative della discussione tra bambini, in "Italiano Oltre", 1 (1989), 24-27

ORSOLINI M., 1993
La discussione, in Corno D. (cur.) 1993, *Vademecum di educazione linguistica*, Firenze, La Nuova Italia 79-86

PERELMAN C. / OLBRECHTS-TYTECA L., 1966
Trattato dell'argomentazione, Torino, Einaudi

PERELMAN C., 1981
Il dominio retorico. Retorica e argomentazione, Torino, Einaudi

PONTECORVO C., 1985
Discutere per ragionare: la costruzione della conoscenza come argomentazione, in "Rassegna d Psicologia", 1-2 (1985)

TEMPESTA I., 1991
Portare argomenti, in "Italiano e Oltre", 4 (1991), 173-175

TOULMIN S., 1975
The uses of Argument, London, Cambridge University Press (trad. it. *Gli usi dell'argomentazione* Torino, Rosemberg & Sellier)

VAN EEMERENS F.H. / GROOTENDORST R., 1984
Speech Acts In Argumentative Discussions, Dordrecht, Foris Publications

ZIONI M., 1989
Il testo che argomenta. I punti di articolazione di un testo argomentativo, in "Italiano e Oltre", 1 (1989) 27-29

ZORZI CALÒ D., 1994
Le digressioni nella lezione accademica italiana: un'analisi contrastiva, in Bruni S. (cur.), *La formazione linguistica degli studenti Erasmus in Italia*, Siena, Università per Stranieri, 13-25

ZUCCHERINI R., 1988
Dalla inventio alla actio, in "Italiano e Oltre" 4 (1988), 183-184